DIALANN

Dúradáin

LEABHAR RÚNDA GREG HEFFLEY

le Jeff Kinney

Máirín Ní Mhárta
a rinne an leagan Gaeilge

Futa Fata

An Spidéal

Foras na Gaeilge

Tá Futa Fata buíoch d'Fhoras na Gaeilge (Clár na Leabhar) faoin tacaíocht airgid.

Futa Fata,
An Spidéal,
Co. na Gaillimhe,
Éire
www.futafata.ie

ISBN: 978-1-906907-99-0

DO MHAM, DAID, RE, SCOTT AGUS PATRICK

MEÁN FÓMHAIR

Dé Máirt

I dtosach báire, bímis soiléir faoin méid seo: is
LEABHAR NÓTAÍ é seo, ní dialann. Tá a
fhios agam go bhfuil sé scríofa ar an gclúdach,
ach nuair a chuaigh Mama amach á cheannach,
dúirt mé léi GO NEAMHBHALBH gan ceann a
fháil le "dialann" scríofa air.

Iontach. Má fheiceann liúdramán éigin mé leis an
leabhar seo, go bhfóire Dia orm.

Agus rud eile, is í Mama a smaoinigh air seo,
ní mise!

Ach, má cheapann sí go bhfuil mise chun mo
chuid "mothúchán" a scríobh síos anseo, is
mór an díth céille atá uirthi.

An t-aon fáth a bhfuil mise á dhéanamh seo ná go sábhálfaidh sé am dom amach anseo nuair a bheidh mé cáiliúil. Ní bheidh orm a bheith ag freagairt ceisteanna seafóideacha ó dhaoine ar feadh an lae.

Mar a dúirt mé, beidh mé cáiliúil lá éigin, ach go dtí sin tá mé sáinnithe sa mheánscoil le paca amadán.

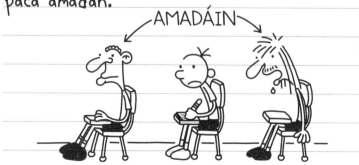

Sula rachaidh mé níos faide, ní mór dom a rá go gceapaim gurb í an mheánscoil an áit is measa ar domhan. Bíonn ar dhaltaí cosúil liomsa, atá beag go leor i gcónaí, meascadh le daltaí ón séú bliain atá beagnach chomh sean le mo Dhaid.

AMACH AS AN mBEALACH!

Mura bulaíocht é sin, níl a fhios agam cad é!

Dá mbeadh sé fágtha fúmsa, bheadh do rang ag brath ar chomh hard is atá tú. Ach, is dócha go gciallódh sé sin go mbeadh Chirag Gupta bocht fós sa bhunscoil.

Is é inniu an chéad lá ar ais ar scoil. Faoi láthair, tá mé ag fanacht go n-inseoidh an múinteoir dúinn cár cheart dúinn suí. Tá mé ag scríobh anseo chun an t-am a chaitheamh.

Dála an scéil, déarfaidh mé an méid seo leat: ar an gcéad lá ar scoil, caithfidh tú a bheith an-chúramach cá suíonn tú. D'fhéadfá siúl isteach sa rang, bualadh fút ar chathaoir éigin agus an chéad rud eile tá an múinteoir ag rá –

TÁ SÚIL AGAM GUR MAITH LIBH BHUR SUÍOCHÁN MAR BEIDH SIBH ANSIN DON CHUID EILE DEN BHLIAIN

GAAAA!

Sin an fáth a bhfuil mé sáinnithe idir Chris Hosey agus Lionel James.

4

Tháinig Jason Brill isteach déanach agus is beag nár shuigh sé le mo thaobh, ach d'éirigh liom fáil réidh leis.

An chéad bhliain eile, déanfaidh mé cinnte go mbeidh mé i mo shuí i measc na gcailíní dathúla. É sin ráite, níor éirigh go rómhaith liom nuair a rinne mé é sin anuraidh.

Níl a fhios agam sa diabhal CAD É atá ar chailíní na laethanta seo. Bhí rudaí i bhfad níos simplí sa bhunscoil. Ní raibh ort ach a bheith in ann rith go tapa agus bhí na cailíní craiceáilte fút.

Ba é Ronnie McCoy an buachaill ba thapúla i rang a cúig.

Anois, tá rudaí i bhfad níos casta. Tá siad ag iarraidh go mbeidh éadaí galánta ort, go bhfuil tú saibhir agus go bhfuil tóinín deas agat. Níl a fhios ag Ronnie McCoy bocht cad é atá tarlaithe.

Is é Bryce Anderson Romeo an Ranga. Bhíodh tóir agamsa ar chailíní I gCÓNAÍ, i bhfad sula mbreathnódh leithéidí Bryce Anderson orthu.

Is cuimhin liomsa go maith an bealach a bhí le Bryce sa bhunscoil.

Ach, an gceapann tú go gcuimhníonn na cailíní air sin? Is beag an baol!

Mar a dúirt mé, is ar Bryce atá an tóir i mo rangsa agus tá an chuid eile againn in áit na leathphingine.

Tá mé ag ceapadh go bhfuil mé ar an 52ú nó an 53ú buachaill is mó a bhfuil tóir ag na cailíní air. Ach, is é an dea-scéala ná go bhfuil mé chun bogadh suas céim amháin mar go bhfuil Charlie Davies tar éis teanntáin a fháil ar a chuid fiacla.

Ní thuigeann mo chara Rowley na cúrsaí seo ar chor ar bith (tá seisean thart ar an 150ú duine is mó a bhfuil tóir ag na cailíní air).

Dé Céadaoin

Bhí Corpoideachas againn inniu agus an chéad rud a rinne mé ná seiceáil an raibh an Cháis fós ar an gcúirt chispheile. Ar ndóigh, bhí.

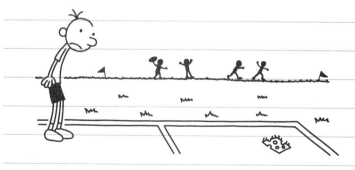

Tá an píosa Cáise sin ann ón earrach seo caite. Seans gur thit sé amach as ceapaire dhuine éigin. Tar éis cúpla lá, tháinig caonach liath ar an gCáis. Ní raibh duine ar bith sásta imirt in aice leis an gCáis, cé nach raibh fáinne cispheile in aon áit eile.

Ansin, lá amháin, leag Darren Walsh a mhéar ar an gCáis agus cuireadh tús le Galar na Cáise. Tá sé chomh dona le míolta a bheith i do chuid gruaige. Tá tú fágtha le Galar na Cáise go n-éireoidh leat é a thabhairt ar láimh do dhuine éigin eile.

An t-aon bhealach atá ann le tú féin a chosaint ná do mhéara a chur trasna a chéile.

Ach níl sé chomh héasca sin do mhéara a choinneáil trasna ar a chéile ar feadh an lae. Ghreamaigh mise mo mhéara le chéile le téip ach ansin ní raibh mé in ann scríobh i gceart agus fuair mé D i mo scrúdú.

Fuair Abe Hall Galar na Cáise i mí Aibreáin agus d'fhan gach duine amach uaidh go dtí gur chríochnaigh an scoil. Bhog sé go California ansin agus thug sé an Galar leis.

Tá súil agam nach dtosóidh Galar na Cáise anois arís, mar ní bheinn in ann déileáil leis an strus sin.

Déardaoin
Ní chreidim go bhfuil an samhradh thart. Tá sé thar a bheith deacair a bheith ag éirí moch gach maidin le dul ar scoil.

Níor thosaigh an samhradh amach go rómhaith, a bhuíochas do mo dheartháir Rodrick.

Ní raibh na laethanta saoire ach tosaithe nuair a dhúisigh Rodrick mé i lár na hoíche. Dúirt sé liom go raibh sé in am éirí le dul ar scoil agus go raibh an samhradh thart.

B'fhéidir go gceapfá gur amadán mé, ach bhí Rodrick ina éide scoile agus bhí mo chlog athraithe aige le go gcreidfinn go raibh sé ina mhaidin. Chomh maith leis sin, bhí na cuirtíní dúnta agus ní fhaca mé go raibh sé fós dorcha lasmuigh.

D'éirigh mé agus ghléas mé mé féin sula ndeachaigh mé síos le haghaidh bricfeasta.

Caithfidh sé go ndearna mé go leor torainn mar
tháinig Daid anuas agus é ar mire mar go raibh
mé ag ithe Cheerios ag a 3:00 ar maidin.

I dtosach báire níor thuig mé cad a bhí á
rá aige.

Ansin, d'inis mé dó gurbh é Rodrick a d'imir cleas
orm agus gur air siúd a bhí an milleán.

Chuaigh Daid suas chuig seomra Rodrick le
tabhairt amach dó agus lean mise isteach é.
B'fhada liom go gcuirfí pionós air.

Ach, bhí Rodrick glic. Lig sé air féin go raibh sé ina chodladh agus cheap Daid gur mise a bhí ag insint bréag.

Dé hAoine
Cuireadh i ngrúpaí léitheoireachta muid ar scoil inniu.

Ní insíonn siad duit an bhfuil tú sa Ghrúpa Tosaitheoirí nó sa Ghrúpa Glic, ach bíonn a fhios agat ón leabhar a bhíonn le léamh agat.

Bhí díomá orm gur sa Ghrúpa Glic a cuireadh mé mar go mbíonn i bhfad níos mó le déanamh acu.

Nuair a cuireadh an scrúdú orainn, rinne mé gach iarracht a chinntiú go mbeinn sa Ghrúpa Tosaitheoirí.

Tá Mama an-mhór leis an bpríomhoide agus tá mé cinnte go raibh focal aici léi.

Deir sí i gcónaí go bhfuil mé cliste, ach nach ndírím ar an obair.

Ach, dar le Rodrick, mura mbeidh daoine ag súil le mórán uait, beidh siad fíorbhuíoch díot as beagán a dhéanamh anois is arís.

É sin ráite, tá mé sásta go maith a bheith sa Ghrúpa Glic.

Chonaic mé roinnt de na daltaí sa ghrúpa eile agus an leabhar bun os cionn acu.

Dé Sathairn
Tá an chéad seachtain scoile thart agus d'fhan mé sa leaba ar maidin.

Is breá le leanaí áirithe a bheith ag féachaint ar an teilifís maidin Dé Sathairn, ach ní éirímse go mbíonn an blas ar m'anáil chom bréan nach mbíonn an dara rogha agam.

Faraor, éiríonn Daid ag a 6:00 gach maidin is cuma cén lá den tseachtain atá ann agus bíonn an-fhonn oibre air maidin Dé Sathairn.

Ó tharla nach raibh rud ar bith eile le déanamh agam, shocraigh mé cuairt a thabhairt ar Rowley.

Is dócha gurb é Rowley an cara is fearr atá agam ar bhealach, ach níl sé sin greanta i gcloch.

Tá mé á sheachaint ón gcéad lá ar scoil nuair a rinne sé rud éigin a chuir as dom.

Bhí muid ag réiteach le dul abhaile nuair a tháinig Rowley chugam agus dúirt sé –

Tá sé ráite míle is céad uair agam leis nach bhfuil muid sa bhunscoil níos mó. Ní bhíonn muid ag 'spraoi', bíonn muid ag 'crochadh thart'.

Ní thuigeann sé go bhfuil íomhá le cosaint agamsa agus ní chuidíonn sé le m'íomhá beag ná mór Rowley a bheith thart orm.

Casadh Rowley orm den chéad uair cúpla bliain
ó shin nuair a bhog sé isteach sa cheantar.

Cheannaigh a mhama an leabhar 'Conas Cairdeas
a Chothú' dó agus tháinig sé ar cuairt chugamsa
leis.

Bhí trua agam dó agus d'iarr mé isteach é.

Is breá liom a chomhluadar mar go mbíonn mé in
ann a bheith ag imirt cleasa air.

19

Dé Luain

Bíonn mé de shíor ag imirt cleasa ar Rowley
ach ní éiríonn liom RIAMH cleasa a imirt ar mo
dhearthár beag, Manny.

Ceapann Mama agus Daid gur prionsa beag é
Manny. Is cuma cad a dhéanann sé, ní bhíonn
sé i dtrioblóid riamh.

Inné, tharraing Manny pictiúr de féin le marcóir
ar dhoras mo sheomra. Cheap mé go maróidís é
ach, mar is gnáth, níor thug siad amach dó.

An rud is measa faoi Manny ná an t-ainm a thugann sé orm. Níl sé in ann Gregory a rá agus deir sé 'Bubaí'. Is cuma cá mhéad uair a iarraim air Greg a thabhairt orm, ní éisteann sé liom.

Tá an t-ádh orm nár chuala mo chuid cairde an t-ainm sin riamh.

Bíonn ormsa bricfeasta a réiteach do Manny ar
maidin. Tugann sé an babhla isteach sa seomra
suí agus itheann sé é agus é ina shuí ar a
phota beag.

Agus nuair atá sé in am dul ag an naíonra,
éiríonn sé agus caitheann sé a bhricfeasta isteach
sa phota beag.

Bíonn Mama ag tabhairt amach domsa i gcónaí
nuair nach gcríochnaím mo bhricfeasta ach ní
mórán ocrais a bhíonn orm tar éis dom an pota
beag sin a ghlanadh amach.

<u>Dé Máirt</u>

Tá mé IONTACH ag cluichí físe. Bheinn in ann duine ar bith i mo rang a bhualadh go héasca.

Faraor, ní thuigeann mo Dhaid chomh maith is atá mé agus bíonn sé de shíor ag rá liom gur cheart dom rud éigin níos aclaí a dhéanamh.

Anocht, nuair a bhí sé do mo chrá, mhínigh mé dó go bhfuil mé in ann a bheith aclaí leis na cluichí físe mar gur féidir sacar a imirt orthu.

Mar is gnáth, níor éist sé liom.

Is duine sách cliste é mo Dhaid, ach ó am go ham níl ciall ar bith aige.

Tá mé cinnte go mbainfeadh mo Dhaid mo mheaisín cluichí as a chéile dá mbeadh sé in ann, ach buíochas le Dia tá an meaisín sin breá láidir.

Gach uair a chaitheann Daid amach as an
teach mé le bheith níos aclaí, téim suas chuig
teach Rowley.

Imríonn muid cluichí físe, cé nach bhfuil aige ach
cluiche amháin.

Má thugaim suas ceann de mo chluichí féin,
breathnaíonn athair Rowley air agus ceapann sé
go mbíonn an iomarca foréigin ann.

Tá mé bréan de sheanchluiche Rowley. Cluiche
rásaíocht carranna atá ann agus níl orm ach
ainm aisteach a thabhairt ar mo charr agus
éiríonn liom an cluiche a bhuachan gach uair.

A luaithe a chloiseann Rowley ainm an chairr,
bíonn sé lagaithe ag gáire.

Ar aon nós, nuair a bhí Rowley buailte agam,
chaith mé gloine uisce anuas orm féin le go
gceapfadh Daid go raibh mé báite le hallas ó
bheith ag rith.

Ach, nuair a chonaic Mama mé chuir sí iallach orm cith a thógáil.

Dé Céadaoin
Bhí Daid chomh sásta go ndearna mé aclaíocht inné gur chuir sé amach arís inniu mé.

Tá sé uafásach gur gá dom dul suas chuig Rowley gach uair is mian liom cluichí físe a imirt. Bíonn orm siúl thar theach Fregley, buachaill óg aisteach a chaitheann an tráthnóna ina sheasamh ar an mbóthar taobh amuigh dá theach.

Tá Fregley i mo rang corpoideachais agus tá a bhealach cainte féin aige. Nuair atá air dul chuig an leithreas, deir sé –

Tuigeann na daltaí é, ach ní bhíonn tuairim ag na múinteoirí cad atá uaidh.

Bhí fonn orm dul suas chuig Rowley inniu mar bhí Rodrick ag cleachtadh ceoil sa bhaile.

Tá banna ceoil aige agus tá siad UAFÁSACH. Is fuath liom a bheith sa bhaile nuair atá siad ag cleachtadh.

"Clúidín Lán" atá ar an mbanna agus is "Klujeen Lawn" atá ar an veain aige.

Ceapann daoine gur scríobh sé ar an gcaoi sin é le bheith cúláilte, ach níl a fhios ag Rodrick ar chor ar bith go bhfuil sé litrithe mícheart.

Ní raibh Daid ag iarraidh go mbeadh Rodrick i mbanna ach cheap Mama gur smaoineamh iontach a bhí ann.

Cheannaigh sise na drumaí dó.

Ceapann Mama go mbeidh muid ar fad in ann uirlis a chasadh agus go mbeidh banna ceoil teaghlaigh againn.

Tá an ghráin ag Daid ar mhiotal trom agus sin an cineál ceoil a chasann Rodrick. Is cuma le mo Mhama mar nach bhfuil nóta ceoil ina ceann. Thosaigh sí ag damhsa gan choinne sa seomra suí tráthnóna.

Chuir sé sin as do Rodrick agus fuair sé a
chluasáin as an seomra. Chuir sé sin stop lena
cuid damhsa breá tapa.

Déardaoin
Fuair Rodrick dlúthdhiosca nua inné leis an
ngreamán "Parental Warning" air.

Ní bhfuair mé deis éisteacht le ceann de na
dlúthdhioscaí sin riamh mar nach ligfeadh Mama
ná Daid cead dom. Shocraigh mé an ceann seo a
thabhairt ar scoil i ngan fhios.

Ar maidin, chuaigh mé suas chuig Rowley agus
d'iarr mé air a sheinnteoir dlúthdhioscaí a
thabhairt leis ar scoil.

Chuaigh mé ar ais chuig an teach nuair a bhí
Rodrick imithe agus chroch mé liom an dlúthdhiosca.

Níl aon chead againn seinnteoirí ceoil a thabhairt
linn ar scoil agus, mar sin, bhí orainn é a
dhéanamh faoi rún. A luaithe a buaileadh an
cloigín ag am lóin, chuaigh mé féin agus Rowley
ar chúl na scoile.

Ach bhí dearmad déanta ag Rowley go raibh an
seinnteoir briste.

Bhí mé díomách ach ní raibh mé i bhfad ag
teacht as sin nuair a smaoinigh mé ar chluiche a
d'fhéadfadh muid a imirt leis na cluasáin.

Bheadh an bua ag an duine ba thúisce a bheadh in ann na cluasáin a chroitheadh dá gceann.

Ba mise a bhí ag buachan ag seacht soicind go leith ach bhí pian i mo shúile.

Díreach agus Rowley ar tí na cluasáin a chur air, rug Mrs Craig orainn. Bhain sí an seinnteoir de Rowley agus thosaigh sí ag tabhairt amach dúinn.

Dúirt sí gur ón diabhal féin a tháinig an rac-cheol agus go millfeadh sé ár n-intinn.

Bhí a fhios agam nach ndéanfadh sé aon mhaith labhairt léi agus choinnigh mé mo bhéal dúnta.

Díreach agus í ar tí imeacht, thosaigh Rowley ag caoineadh agus é ag rá nár theastaigh uaidh go millfeadh an rac-cheol a intinn.

In ainm Dé, tá an buachaill seo as a mheabhair.

Dé hAoine

Rinne mé praiseach ceart de rudaí aréir.

Nuair a bhí gach duine sa leaba, chuaigh mé síos an staighre go ciúin chun éisteacht le dlúthdhiosca Rodrick sa seomra suí.

Chuir mé na cluasáin orm féin agus chas mé suas an fhuaim AN-ARD ar an seinnteoir.

Thuig mé ar an bpointe an fáth go raibh an greamán "Parental Warning" ar an gclúdach.

Ach, níor éirigh liom ach cúpla soicind den chéad amhrán a chloisteáil.

Is cosúil nach raibh na cluasáin curtha isteach sa seinnteoir agam AR CHOR AR BITH agus go raibh an ceol le cloisteáil ar fud an tí.

Chuir Daid sodar fúm suas i mo sheomra agus ansin dúirt sé –

Uair ar bith a deir Daid 'A Mhaicín', bíonn a fhios agam go bhfuil mé i dtrioblóid. An chéad uair a chuala mé é, cheap mé gur chomhartha cineáltais a bhí ann.

MAICÍN = GO MAITH

Ní dhearna mé an botún sin ó shin.

Anocht, bhí sé ag béicíl orm ar feadh deich nóiméad sular stop sé. Dúirt sé liom nach raibh cead agam cluichí físe a imirt go ceann coicíse. Ba chóir dom a bheith buíoch nár cuireadh tuilleadh pionóis orm.

An rud maith faoi Dhaid ná go gcuireann sé dhó a chuid feirge an-tapa go deo.

De ghnáth, má bhuaileann racht feirge é,
caitheann sé cibé rud atá ina lámh aige leat.

AM MAITH LE BHEITH DÁNA:

DROCHAM LE BHEITH DÁNA:

Tá bealach eile ar fad ag Mama le pionós a chur
orm. Má bhíonn fearg ar Mhama liom, tógann sé
cúpla lá uirthi smaoineamh ar phionós.

Fad atáim ag fanacht, déanaim gach iarracht a
bheith go deas léi.

Ach ansin tar éis cúpla lá nuair atá dearmad
déanta agat go bhfuil tú i dtrioblóid, tagann sí
ort go tobann.

Dé Luain

Tá sé an-deacair an t-am a chaitheamh gan cluichí físe. Ach, ar a laghad ní mé an t-aon duine atá i dtrioblóid.

Thóg Manny ceann d'irisí ceoil Rodrick. Bhí pictiúr ann de bhean ina luí ar bhoinéad cairr agus gan uirthi ach bicíní. Thug Manny isteach ag an naíonra leis í le haghaidh 'taispeáin agus inis dúinn'.

Ní raibh Mama an-sásta nuair a ghlaoigh an naíonra uirthi.

Chonaic mé féin an pictiúr céanna agus ceapaim go ndeachaigh an múinteoir beagán thar fóir, ach ní maith le Mama an cineál sin ruda.

41

Mar phionós, bhí ar Rodrick sraith ceisteanna ó Mhama a fhreagairt.

An bhfuil tú bródúil go raibh
iris mar sin i do sheilbh?

Níl

An bhfuil irisí mar sin cóir
do mhná?

Níl

Conas a airíonn tú faoi iris mar
sin a bheith agat?

Náirithe

Cad atá le rá agat le mná
an domhain?

Tá brón orm, a mhná.

<u>Dé Céadaoin</u>

Tá cosc fós orm ó bheith ag imirt cluichí físe agus cuireann sé as mo mheabhair mé a bheith ag féachaint ar Manny ag imirt a chuid cluichí suaracha.

Ach, is é an dea-scéal ná gur éirigh liom ceann de mo chuid cluichí a thabhairt isteach i dteach Rowley i ngan fhios dá athair mar gur chuir mé i bhfolach é i gclúdach de chuid Manny.

43

Déardaoin

D'fhógair siad ar scoil inniu go mbeidh toghcháin na scoile ar siúl go luath agus smaoinigh mé go mbeadh sé iontach a bheith i mo Chisteoir ar Bhord na nDaltaí. D'fhéadfadh sé seo mo SHAOL AR FAD a athrú.

Agus níos fearr fós...

Ní smaoiníonn duine ar bith riamh bheith ina Chisteoir mar nach mbíonn uathu ach bheith ina nUachtarán. Mar sin, tá seans an-mhaith agam an jab a fháil.

Dé hAoine
Inniu, nuair a chuir mé m'ainm ar an liosta le bheith i mo Chisteoir, thug mé faoi deara go bhfuil Marty Porter é féin ag lorg an jab. Tá seisean an-mhaith ag mata. Ní bheidh sé seo chomh héasca is a cheap mé.

Bhí Daid an-sásta nuair a d'inis mé dó faoi mo phlean. Bhí seisean ar Bhord na nDaltaí nuair a bhí sé ar scoil.

Tharraing sé amach ceann dá chuid póstaer as seanbhosca faoin staighre.

Smaoineamh maith é an póstaer. Chuaigh mé chuig an siopa agus cheannaigh mé ábhar chun póstaeir a dhéanamh agus chaith mé an oíche ar fad ag obair orthu.

Dé Luain

Thug mé mo chuid póstaer ar scoil inniu. Tá siad an-mhaith.

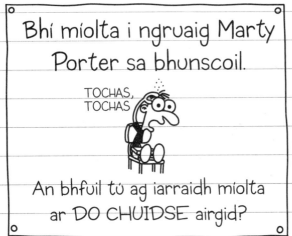

Chroch mé póstaeir i ngach áit, ach ní mó ná sásta a bhí an Leas-Phríomhoide nuair a chonaic sé iad.

Dúirt sé nach raibh cead "bréaga" a insint faoi iarrthóirí eile. Ach d'inis mé dó go raibh an scéal faoi na míolta fíor agus gur dúnadh an scoil mar gheall orthu.

Ach thóg sé anuas na póstaeir ar aon nós. Chaith Marty Porter an lá ar fad ag tabhairt amach milseáin do gach duine. Is dócha go bhfuil mo shaol polaitiúil thart agus gan é tosaithe fiú amháin.

DEIREADH FÓMHAIR

<u>Dé Luain</u>
Bhuel, tá Deireadh Fómhair linn agus gan
ach tríocha lá fágtha do dtí Oíche Shamhna.
Is BREÁ liom Oíche Shamhna, cé gur ar éigean
a ligeann Mama cead dom dul ó dhoras go doras
níos mó.

Is breá le Daid Oíche Shamhna freisin. Fad a
bhíonn na tuismitheoirí eile ag tabhairt amach
milseáin do leanaí ag an doras, téann seisean i
bhfolach sa ghairdín agus caitheann sé buicéad
uisce le déagóirí a bhíonn ag dul thar bráid.

Ceapaim go bhfuil sé amaideach, ach níor mhaith liom é sin a rá leis.

D'oscail Teach Taibhsí Chrossland anocht agus dúirt Mama go dtabharfadh sí mise agus Rowley ann.

Dúirt mé le Rowley gnáthéadaí a chaitheamh ach is léir nár éist sé liom.

Bhí mé náirithe aige, ach rinne mé iarracht é a
chur as mo cheann mar nach raibh mé ag iarraidh
go mbeadh an oíche millte orm. Ní raibh mé sa
Teach Taibhsí riamh cheana agus bhí mé ar bís
dul ann.

Tháinig amhras orm a luaithe a shroich mé an
doras.

Ach, bhí deifir ar Mhama agus ní raibh uaithi
ach an áit a fheiceáil agus imeacht arís go tapa.
Bhí gach uile chineál uafáis san áit sin - damháin
alla mhóra agus fear gan ceann fiú.

Ach, ba é an fear leis an sábh slabhrach ba mheasa. Rith sé inár ndiaidh agus táim cinnte go raibh sé ag iarraidh muid a mharú.

Díreach agus é ar tí greim a fháil orainn, tháinig Mama agus shábháil sí muid.

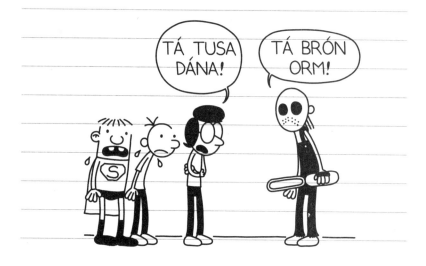

Chuir Mama iallach air muid a thabhairt chuig an doras amach as an áit. Bhí beagán náire orm go raibh faitíos orm, ach is fearr dearmad a dhéanamh air sin anois.

Dé Sathairn
Smaoineamh maith é an Teach Taibhsí. Bhí slua mór ann agus gach duine ag íoc €5 le dul isteach ann.

Táim chun teach taibhsí de mo chuid féin a dhéanamh. Ní ligfeadh Mama cead dom é a dhéanamh anseo. Úsáidfidh mé teach Rowley.

Bhí a fhios agam nach mbeadh athair Rowley an-tógtha leis an smaoineamh ach oiread agus, mar sin, rinne muid é i ngan fhios dó.

Chaith mé féin agus Rowley an lá ar fad ag smaoineamh ar phleananna dár dteach taibhsí.

Seo an plean:

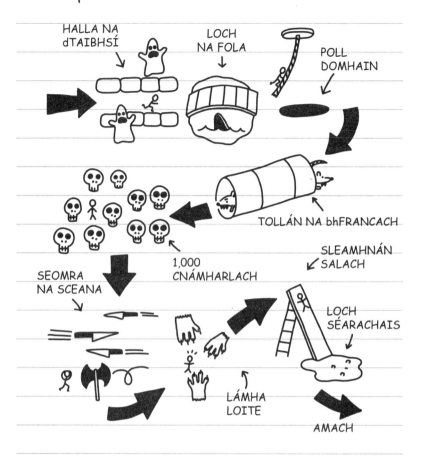

HALLA NA dTAIBHSÍ

LOCH NA FOLA

POLL DOMHAIN

TOLLÁN NA bhFRANCACH

SLEAMHNÁN SALACH

1,000 CNÁMHARLACH

SEOMRA NA SCEANA

LOCH SÉARACHAIS

LÁMHA LOITE

AMACH

Bhí plean s'againne I BHFAD níos fearr ná Teach Taibhsí Chrossland.

Ansin, rinne muid amach bileoga eolais faoinár dteach taibhsí le scaipeadh ar fud an bhaile.

B'fhéidir nach raibh gach rud san fhógra fíor, ach bhí muid ag iarraidh daoine a mhealladh isteach.

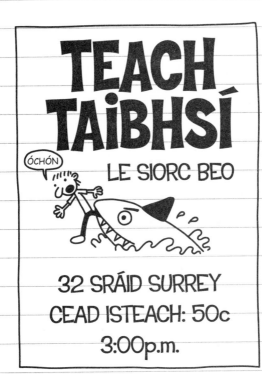

Faoin am go raibh na fógraí curtha suas againn ar fud an bhaile, bhí sé 2:30 agus ní raibh muid tosaithe fós ar an teach taibhsí a ullmhú.

Mar sin, ní raibh deis againn gach rud a chur in áit.

Ag a 3:00 d'fhéach muid amach an fhuinneog agus bhí scuaine leanaí ón gcomharsanacht taobh amuigh de theach Rowley ag fanacht le teacht isteach.

Tá a fhios agam gur 50c a bhí ar na fógraí, ach bhí deis againn a lán airgid a dhéanamh anseo.

Mar sin, dúirt mé leis na páistí gur botún a bhí sa 50c agus gur €2 an táille.

Ba é Shane Snella an chéad duine a d'íoc an €2. Chuaigh mé féin agus Rowley isteach i Halla na dTaibhsí le fáil faoi réir.

Ní raibh i Halla na dTaibhsí ach leaba le Rowley ar thaobh amháin agus mise ar an taobh eile.

Ceapaim go raibh sé beagán róscanrúil. Bhí an oiread eagla ar Shane go ndeachaigh sé isteach faoin leaba agus dhiúltaigh sé teacht amach arís.

Smaoinigh mé ar an airgead ar fad a bhí á chailleadh againn agus bhí a fhios agam go mbeadh orainn Shane a chur amach as an áit go tapa.

Sa deireadh thiar, tháinig athair Rowley isteach sa seomra. Bhí mé sásta é a fheiceáil ar dtús mar go dtabharfadh sé cúnamh dúinn Shane a chur amach.

Ach ní mó ná sásta a bhí athair Rowley.

D'iarr athair Rowley cad a bhí ar bun againn agus cén fáth a raibh Shane i bhfolach faoin leaba.

Dúirt muid leis gur Teach Taibhsí a bhí ann agus gur ÍOC Shane airgead linn chun é a scanrú. Ach níor chreid athair Rowley muid.

Admhaím nach raibh mórán cosúlacht teach taibhsí ar an seomra. Ní raibh i Halla na dTaibhsí ach an leaba agus ní raibh i Loch na Fola ach báisín mór le citseap ann.

Thaispeáin mé ár bplean d'athair Rowley ach fós
ní raibh sé an-sásta linn.

Le scéal fada a dhéanamh gearr, ba é sin
deireadh Theach na dTaibhsí.

Ar a laghad ní raibh orainn an €2 a thabhairt
ar ais do Shane.

Dé Domhnaigh

Cuireadh pionós ar Rowley agus níl cead aige
féachaint ar an teilifís ar feadh seachtaine
AGUS níl cead agamsa dul ar cuairt chuige ach
an oiread.

Níl an chuid dheireanach sin ceart ná cóir.
Pionós ormsa atá ann agus ní dhearna mise rud ar
bith as bealach. Cá n-imreoidh mé mo chuid cluichí
físe anois?

Ar aon nós, d'airigh mé go dona do Rowley. Mar
sin, chuir mé glaoch air tráthnóna nuair a bhí an
clár is ansa leis ar siúl agus d'inis mé dó cad a bhí
ag tarlú ann.

WÓ! FÉACH AR AN
bPLÉASC MHÓR SIN!

Ó, SEA,
NÁ BAC.

60

Rinne mé mo dhícheall, ach ní dóigh liom go raibh Rowley ag baint mórán sásaimh as.

Dé Máirt

Bhuel, tá Rowley saor arís agus díreach in am d'Oíche Shamhna. Chuaigh mé suas chuige le féachaint ar a fheisteas agus caithfidh mé a rá go bhfuil beagán éada orm.

Feisteas ridire atá ann agus tá sé I BHFAD níos fearr ná feisteas na bliana seo caite.

Tá clogad, sciath, claíomh agus GACH RUD aige.

Ní raibh feisteas as siopa agamsa riamh.
Níl tuairim agam cad a chaithfidh mé tráthnóna
amárach. Seans go n-úsáidfidh mé páipéar leithris
chun gléasadh mar Mhumaí arís.

Ach, b'fhéidir nach smaoineamh maith é sin ó
tharla go bhfuil báisteach geallta amárach.

Le blianta beaga anuas, tá na daoine fásta sa chomharsanacht ag fáil tinn tuirseach d'fheistis sheafóideacha agus ní thugann siad amach mórán milseán mura mbíonn an feisteas go maith.

Ach níl am agam feisteas a chur le chéile ó tharla go bhfuil orm an tslí is fearr a phleanáil amach don oíche mhór.

Tá plean an-mhaith agam a chinnteoidh go bhfaighidh muid a dhá oiread milseán is a fuair anuraidh.

Oíche Shamhna

Tuairim is uair an chloig sula raibh muid le dul ó
dhoras go doras, ní raibh aon fheisteas
fós agam.

Ansin, tháinig Mama ag an doras agus shín sí
feisteas chugam. Feisteas foghlaí mara a bhí ann
le paiste súile, crúca agus eile.

Tháinig Rowley ag a 6:30 ach níor bhreathnaigh
a fheisteas LEATH CHOMH MAITH inniu.

Bhí athruithe déanta ag a Mhama air le go
mbeadh sé níos sábháilte.

Chuir sí poll sa chlogad ionas go mbeadh sé
in ann feiceáil i gceart agus chuir sí téip buí
air gach áit ionas go mbeadh sé le feiceáil sa
dorchadas agus fiú bhí an claíomh bainte uaidh
agus maide solais tugtha dó ina áit.

Fuair mé mo mhála agus bhí mé ar tí imeacht
nuair a tháinig Mama amach.

Bhí a fhios agam go raibh cúis éigin gur thug sí an feisteas dom.

Dúirt mé léi nach raibh BEALACH AR BITH go bhféadfadh muid Manny a thabhairt linn mar go raibh 152 teach le déanamh againn laistigh de thrí uair an chloig agus go mbeadh an ceantar i bhfad róchontúirteach do pháiste beag ar nós Manny.

Níor chóir dom rud ar bith a bheith ráite agam faoi cheantar contúirteach. Ghlaoigh Mama ar Dhaid agus dúirt sí leis dul in éineacht linn chun a chinntiú go mbeadh muid breá sábháilte.

66

Casadh Mr Mitchell agus a mhac Jeremy orainn ag an ngeata agus, dar ndóigh, tháinig siadsan in éineacht linn.

Dhiúltaigh Manny agus Jeremy dul gar do theach ar bith a raibh maisiúcháin scanrúla orthu agus ba é sin beagnach gach teach ar an tsráid.

Thosaigh Daid agus Mr Mitchell ag caint ar pheil agus gach uair a raibh duine acu ag iarraidh pointe a dhéanamh stopaidís ag siúl.

Mar sin, ní raibh deis againn ach teach amháin a dhéanamh gach fiche nóiméad.

Tar éis cúpla uair an chloig, thug Daid agus Mr Mitchell na páistí beaga abhaile.

Bhí mé an-sásta mar chiallaigh sé go mbeadh deis agam féin agus Rowley ár málaí folmha a líonadh.

Go luath ina dhiaidh sin dúirt Rowley go raibh air dul chuig an leithreas. Dúirt mé leis go mbeadh air fanacht, ach faoin am gur shroich muid teach mo mhamó bhí sé ar tí pléascadh.

Dúirt mé leis mura mbeadh sé amach arís taobh istigh de nóiméad go dtosóinn ag ithe a chuid milseán.

Faoin am go ndeachaigh muid amach ar an mbóthar arís bhí sé a 10:30 agus cheap go leor daoine go raibh Oíche Shamhna thart.

Ní mó ná sásta a bhí daoine ag teacht chuig an doras ina gcuid éadaí codlata.

Rinne muid cinneadh dul abhaile ansin. Bhí go leor oibre curtha isteach againn ó d'imigh Daid agus Manny agus bhí go leor milseán faighte againn.

Ar an mbealach, casadh carr lán le déagóirí orainn.

Bhí múchtóir tine ag duine acu agus scaoil sé orm féin agus Rowley é.

D'éirigh le Rowley 95% den uisce a choinneáil uainn lena sciath agus shábháil sé na milseáin ó bheith fliuch báite.

Agus an carr ag imeacht, bhéic mé orthu agus bhí aiféala orm láithreach.

Stop an carr go tobann agus chas ar ais inár dtreo. Rith mé féin agus Rowley ach choinnigh siad suas linn.

Smaoinigh mé ar theach Mhamó agus ghearr muid trí chúpla gairdín le dul chomh fada leis. Bhí Mamó ina codladh ach bhí eochair i bhfolach faoin mata aici.

A luaithe a bhí muid istigh sa teach bhreathnaigh mé amach an fhuinneog agus chonaic mé go raibh na déagóirí lasmuigh. Rinne mé iarracht dallamullóg a chur orthu, ach ní raibh siad ag bogadh.

TÁ MUID SA BHAILE ANOIS AGUS NÍ FÉIDIR LIBH GREIM A FHÁIL ORAINN!

Nuair a thuig muid nach raibh na déagóirí chun bogadh, rinne muid cinneadh fanacht ansin thar oíche. Tháinig misneach chugainn agus thosaigh muid ag magadh fúthu.

Rinne muid aithris ar mhoncaithe don chraic.

Chuir mé glaoch ar Mhama le rá léi go mbeinn ag fanacht le Mamó agus ní mó ná sásta a bhí sí.

Dúirt sí linn teacht abhaile láithreach, rud a chiallaigh go mbeadh orainn éalú as an áit go tapa.

D'fhéach mé amach an fhuinneog agus ní fhaca mé an carr. Ach, bhí a fhios agam go raibh siad i bhfolach in áit éigin.

D'éalaigh muid amach an cúldoras agus rith muid an bealach ar fad go Bóthar na gCrann. Tá an áit sin breá dorcha mar nach bhfuil aon soilse sráide ann.

Tá an bóthar sin sách scanrúil gan carr lán le déagóirí a bheith sa tóir ort. Gach uair a chonaic muid carr ag teacht, chuaigh muid i bhfolach sna sceacha. Thóg sé leathuair orainn dul 100 méadar.

D'éirigh linn an baile a shroicheadh go slán sábháilte agus ba muid a bhí buíoch.

Díreach ag an nóiméad sin chuala muid scréach agus tháinig maidhm mhór uisce inár dtreo.

Bhí dearmad glan déanta agam ar Dhaid agus d'íoc mé go daor as.

Nuair a chuaigh muid isteach sa teach leag muid na milseáin amach ar an mbord.

Bhí gach rud báite fliuch seachas cúpla milseán crua a bhí clúdaithe le plaisteach agus na scuaba fiacla a thug an Dr Garrison dúinn.

Fanfaidh mé sa bhaile an bhliain seo chugainn agus íosfaidh mé na milseáin a bhíonn curtha i bhfolach ag Mama os cionn an chuisneora.

MÍ NA SAMHNA

<u>Déardaoin</u>

Ar an mbealach chun na scoile ar maidin chonaic mé go raibh teach Mhamó clúdaithe le páipéar leithris. Ní aon iontas é sin is dócha.

Mhothaigh mé beagáinín ciontach mar go dtógfadh sé píosa fada é sin a ghlanadh suas. Ach níl Mamó ag obair agus mar sin níl rud ar bith eile le déanamh aici.

<u>Dé Céadaoin</u>

Sa rang corpoideachais, d'fhógair Mr Underwood go raibh sé chun rang iomrascála a thosú.

76

Is breá leis na buachaillí i mo rang an iomrascáil ghairmiúil agus bhí áthas an domhain orthu an scéal seo a chloisteáil.

Thosaigh siad ar fad ag cleachtadh ag am lóin.

Beidh an scoil ina cíor thuathail mar gheall ar an iomrascáil.

Ach, mura bhfuil mé ag iarraidh go gcasfaidh duine éigin an ceann orm, b'fhearr dom taighde a dhéanamh ar an iomrascáil seo.

Fuair mé cúpla cluiche físe ar cíos chun cúpla gluaiseacht a fhoghlaim.

B'fhearr do na daltaí eile a bheith cúramach mar tá mise go maith ag an gcraic seo.

Ach, b'fhearr dom a chinntiú nach mbeidh mé RÓMHAITH. Fuair Anraí Madán 'Imreoir na Míosa' mar go bhfuil sé iontach ag cispheil agus chuir siad a phictiúr ar an mballa sa halla

Nuair a chonaic na daltaí eile "A. MADÁN" ar an bpictiúr thuig siad chomh greannmhar is a bhí sé agus bhí Anraí bocht réidh.

Déardaoin

Fuair mé amach inniu go bhfuil an cineál iomrascála atá ar intinn ag Mr Underwood AN-DIFRIÚIL ón iomrascáil a fheicimse ar an teilifís.

I dtosach báire, bíonn ort "singléad" a chaitheamh agus tá sé cosúil leis an seanéide snámha a bhíodh ar na fir fadó.

Ní amháin sin, ach ní féidir léim anuas ó na rópaí ná cathaoireacha a chaitheamh le daoine.

Níl an fáinne féin ann. Níl ann ach seanmhata bréan nár níodh riamh.

D'iarr Mr Underwood ar dhuine éigin dul ar an mata ar dtús, ach ní raibh mise chun mo lámh a chur suas.

Chuaigh mé féin agus Rowley i bhfolach ar chúl an halla ach ba é sin an áit a raibh cleachtadh gleacaíochta ag na cailíní.

D'éalaigh muid as an áit sin agus chuaigh muid ar ais chuig na buachaillí.

Phioc Mr Underwood mise agus thosaigh sé ag taispeáint do na buachaillí eile conas "leath-nelson", "aisiompú" agus "leagan" agus rudaí eile mar sin a dhéanamh.

Nuair a bhí sé ag déanamh "ardú thar ghualainn" mhothaigh mé go raibh mo thóin fuar agus thuig mé nach raibh an singléad ag déanamh jab maith do mo chlúdach.

Ba mé a bhí buíoch go raibh na cailíní ar an taobh eile den halla.

Roinn Mr Underwood in dhá ghrúpa muid de réir meáchain. Bhí mé breá sásta ar dtús mar thuig mé nach mbeinn sa ghrúpa céanna le Benny Wells atá chomh mór le bus.

Ach ansin chonaic mé cé leis a mbeinn ag iomrascáil agus b'fhearr liom go mór Benny Wells.

Ba é Fregley an t-aon bhuachaill a bhí sách éadrom le hiomrascáil liom. Is cosúil go raibh Fregley ag éisteacht le gach rud a dúirt Mr Underwood mar ghreamaigh sé den talamh mé míle is céad uair.

Dé Máirt

Tá an scoil bun os cionn ag an iomrascáil seo. Bíonn na daltaí ag iomrascáil sa halla, sa seomra ranga, gach áit. Ach is iad na cúig nóiméad déag tar éis am lóin is measa.

Ní féidir siúl dhá choiscéim sa chlós gan titim ar bheirt bhuachaillí ag iomrascáil lena chéile. Déanaim iarracht fanacht amach uathu. Is é an faitíos is mó atá orm anois ná go dtitfidh duine éigin ar an gCáis agus go dtosóidh Galar na Cáise arís.

Fadhb eile atá agam ná go mbíonn orm bheith ag iomrascáil le Fregley gach lá. An t-aon seans atá agam éalú uaidh ná bheith róthrom dó.

Mar sin, shac mé stocaí agus léinte síos i mo chuid éadaí chun meáchan a chur orm féin.

Ach, bhí mé fós ró-éadrom le bogadh chuig an gcéad ghrád meáchain eile suas.

Thuig mé go mbeadh orm meáchan a chur suas i gceart. Smaoinigh mé i dtosach báire ar níos mó a ithe, ach ansin bhí smaoineamh níos fearr agam.

Rinne mé cinneadh oibriú ar mo chuid matán chun bheith níos troime.

Ní raibh suim agam riamh i gcruth mo cholainne, ach tá an iomrascáil seo tar éis m'intinn a athrú faoi sin.

Má fhaighim láidir anois, seasfaidh sé sin liom amach anseo.

Beidh siad ag roghnú na foirne peile san earrach agus roinntear na himreoirí ina léinte agus ina gcraicne. Bímse I GCÓNAÍ i mo chraiceann.

Déanann siad é sin le náire a chur ar na páistí nach bhfuil aclaí.

UTH!

Má táimse in ann mo chuid matán a fhorbairt anois, scéal eile a bheidh ann i mí Aibreáin.

Tráthnóna, tar éis an dinnéir, d'inis mé mo phlean do Mhama agus do Dhaid. Dúirt mé leo go mbeadh meaisíní meáchan ag teastáil uaim agus púdar próitéine.

Thaispeáin mé irisí dóibh a cheannaigh mé ag an siopa ionas go bhfeicfidís chomh láidir is a bheinn.

Ní dúirt Mama mórán ar dtús ach bhí Daid an-
tógtha le mo phlean. Ceapaim go raibh sé sásta
go raibh míntinn athraithe agam ó bhí mé beag.

Ach dúirt Mama go mbeadh orm a chruthú go
bhfuil mé dáiríre faoi seo sula gceannóidís meaisín
meáchan dom. Dúirt sí liom bheith ag scipeáil agus
ag déanamh suí aniar ar feadh coicíse ar dtús.

Dúirt mé léi nach n-oibreodh sé sin agus gur
theastaigh na meaisíní cearta uaim chun mo chuid
matán a fhorbairt, ach níor éist sí liom.

Dúirt Daid go mb'fhéidir go bhfaighinn ardú binse le haghaidh na Nollag.

Ach, tá mí go leith fós ann go Nollaig agus má éiríonn le Fregley mé a chur go talamh oiread is uair amháin eile rachaidh mé craiceáilte.

Tá an chuma air nach mbeidh cúnamh agam ó Mhama ná ó Dhaid agus, mar is gnáth, beidh orm rud éigin a dhéanamh mé féin.

Dé Sathairn
B'fhada liom go dtosóinn ar mo chuid traenála meáchan inniu. Cé nach raibh an trealamh ceart agam, ní raibh sé sin chun stop a chur liom.

Fuair mé dhá chrúiscín bainne as an gcuisneoir.
Dhoirt mé amach an bainne agus líon mé le
gaineamh iad. Cheangail mé iad le cos scuaibe
agus bhí barra meáchan breá agam.

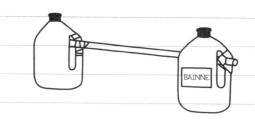

Rinne mé ardú binse as seanchlár iarnála agus
cúpla bosca. Bhí mé réidh ansin le tosú ar mo
chuid traenála.

Ach, theastaigh comrádaí traenála uaim. Chuir
mé glaoch ar Rowley ach nuair a tháinig sé chuig
an doras agus éide áiféiseach air, bhí a fhios
agam go raibh botún déanta agam.

Chuir mé iallach ar Rowley an t-ardú binse a úsáid ar dtús lena chinntiú nach mbrisfeadh sé fúm.

D'ardaigh sé an barra meáchan cúig huaire agus theastaigh uaidh stopadh ach níor lig mé cead dó. Ní ligfidh comrádaí maith traenála duit géilleadh.

DEICH gCINN EILE!

Thuig mé nach raibh Rowley chomh díograiseach faoi seo is a bhí mise agus rinne mé cinneadh é sin a chruthú.

Fad a bhí Rowley ag ardú meáchan, fuair mise srón agus croiméal bréige Rodrick óna sheomra.

Díreach nuair a bhí an barra meáchan ligthe anuas ag Rowley d'fhéach mé síos air.

Dar ndóigh, d'imigh intinn Rowley ar strae agus ní raibh sé fiú amháin in ann an barra meáchan a ardú dá chliabh. Smaoinigh mé ar chúnamh a thabhairt dó, ach níor thug.

Bhí orm cuidiú leis sa deireadh nuair a thosaigh sé ag iarraidh greim a bhaint as an gcrúiscín chun an gaineamh a ligean as.

Nuair a d'éirigh Rowley bhí sé in am agamsa roinnt traenála a dhéanamh. Ach dúirt Rowley nach raibh fonn air fanacht agus chuaigh sé abhaile.

Ní raibh ionadh ar bith orm. Bhí a fhios agam go maith nach raibh Rowley chomh díograiseach liomsa.

Dé Céadaoin
Bhí scrúdú againn sa rang tíreolaíochta inniu agus bhí mé breá sásta tabhairt faoi.

Ceist ar stáit Mheiriceá a bhí ann agus táimse i mo shuí ar chúl an ranga le taobh mapa mór de na Stáit Aontaithe. Bhí a fhios agam nach mbeadh trioblóid ar bith agam leis an scrúdú seo.

Ach díreach sular thosaigh an scrúdú bhéic Patty
Farrell ó bharr an ranga.

Dúirt Patty leis an múinteoir gur cheart dó an
mapa a chlúdach sula dtosódh muid.

A bhuíochas do Patty, theip orm sa scrúdú.
Déanfaidh mé cinnte go mbainfidh mé mo dhíoltas
amach ar an gcailín sin am éigin.

Déardaoin

Tháinig Mama isteach i mo sheomra tráthnóna le bileoigín ina lámh aici. Bhí a fhios agam ar an bpointe cad a bhí ann.

Bhí sí ag iarraidh orm cleachtadh a dhéanamh do dhráma an gheimhridh. Faraor nár chaith mé amach an bileoigín sin nuair a chonaic mé ar an mbord é.

D'IMPIGH mé uirthi gan mé a chur ann. Ceoldrámaí a bhíonn sna drámaí sin i gcónaí agus b'fhearr liom rud ar bith ná amhrán a chasadh os comhair na scoile ar fad.

Ach bhí cosa i dtaca aici agus ní raibh sí chun scaoileadh liom.

Dúirt sí nach mbeinn ildánach riamh mura mbainfinn triail as rudaí éagsúla.

Tháinig Daid isteach sa seomra agus dúirt mé leis go raibh Mama ag cur iallach orm páirt a ghlacadh i ndráma na scoile agus go gcuirfeadh sé sin as do mo chuid traenála.

Bhí a fhios agam go dtaobhódh Daid liom agus thosaigh sé ag argóint le Mama, ach ní raibh sé in ann ag Mama.

Fágann sin go gcaithfidh mé dul i gcomhair éisteachta do dhráma na scoile amárach.

Dé hAoine
Is é "The Wizard of Oz" an dráma i mbliana.
Bhí feisteas ar fhormhór na bpáistí a tháinig.

Ní fhaca mise an scannán fiú agus bhreathnaigh gach duine thar a bheith amaideach.

Chuir Mrs Norton iallach ar gach duine "My Country 'Tis of Thee" a chasadh. Chas mise an t-amhrán i dteannta cúpla buachaill eile nach raibh ag iarraidh a bheith ann ach an oiread. Chas mé é chomh híseal is a bhí mé in ann ach, mo léan, roghnaigh sí mé ar aon nós.

Mar bharr ar an donas, bhí na cailíní ar fad ag gáire fúm.

Lean na héisteachtaí ar aghaidh ar feadh síoraíochta agus chríochnaigh siad le héisteachtaí don phríomhpháirt, Dorothy.

Ba í Patty Farrell an chéad duine ar stáitse.

Ba bhreá liom páirt na Caillí a fháil, mar chuala mé go ndéanann an Chailleach drochrudaí ar Dorothy sa dráma.

Ach ansin dúirt duine éigin go bhfuil Cailleach Mhaith agus Cailleach Olc ann agus gach seans go bhfaighinn páirt na Caillí Maithe.

Dé Luain

Bhí mé ag súil nach roghnódh Mrs Norton mé don dráma ach chuala mé inniu go bhfuil páirt faighte ag gach duine.

Thaispeáin sí scannán "The Wizard of Oz" le go mbeadh an scéal ar eolas ag gach duine. Ní raibh a fhios agam cén pháirt gur mhaith liom sa dráma mar go raibh na carachtair uile ag damhsa nó ag canadh. Ach leathbhealach tríd, smaoinigh mé gur mhaith liom a bheith i mo chrann mar 1) níl orthu bheith ag canadh agus 2) caitheann siad úlla le Dorothy.

Bheadh deis agam Patty Farrell a lascadh le húlla os comhair slua mór daoine. Beidh orm buíochas a ghabháil le Mama as iallach a chur orm é seo a dhéanamh.

Tar éis an scannáin, d'iarr mé páirt an Chrainn. Faraor, bhí an smaoineamh céanna ag go leor buachaillí eile. Is cosúil nach mise an t-aon duine gur mhaith leo úlla a chaitheamh le Patty Farrell.

Dé Céadaoin
Bhuel, thit an tóin as mo phlean. Roghnaíodh mé mar Chrann ach faraor níl aon phoill san fheisteas le lámha a ligean amach. Mar sin, ní bheidh mé in ann aon úll a chaitheamh.

Ba chóir dom a bheith buíoch go bhfuil rud ar bith le rá agam. Bhí an iomarca páistí istigh ar na héisteachtaí agus gan a ndóthain páirteanna acu. Bhí orthu carachtair a chumadh.

Tá Rodney James bocht ina sceach bheag.

Dé hAoine
Dúirt mé go raibh mé buíoch go raibh rud le rá agam, ach fuair mé amach inniu nach bhfuil ann ach líne amháin. Deirim an abairt nuair a phiocann Dorothy úll de mo chraobh.

Caithfidh mé freastal ar chleachtadh dhá uair an chloig gach lá chun focal amháin a rá.

Is fearr i bhfad an pháirt atá ag Rodney James tar éis an tsaoil. Caitheann seisean an t-am ag imirt cluichí físe a bhíonn i bhfolach ina fheisteas aige.

Déanaim gach iarracht iallach a chur ar Mrs Norton mé a chaitheamh amach as an dráma, ach níl sé sin éasca nuair nach bhfuil agat ach focal amháin le rá.

MÍ NA NOLLAG

Déardaoin

Níl ach cúpla lá fágtha go mbeidh an dráma ar stáitse agus níl baol orainn a bheith réidh.

Níl a gcuid línte ar eolas ag duine ar bith agus is ar Mrs Norton atá an locht.

Insíonn sí a gcuid línte do gach duine i gcogar ó thaobh an stáitse le linn na gcleachtaí.

Cad a tharlóidh Dé Máirt nuair a bheidh Mrs Norton tríocha troigh ón stáitse ag an bpianó?

Chomh maith leis sin, tá sí de shíor ag cur carachtair agus radhairc nua isteach.

Thug sí isteach páiste ón mbunscoil inné le bheith i bpáirt mhadra Dorothy, Tótó. Ach tháinig a mhama isteach inniu ag rá go bhfuil sé náireach go mbíonn a maicín ag dul thart ar cheithre chos.

Anois tá madra againn a bheidh ag siúl thart ar a chosa deiridh.

Ach an rud is measa ar fad atá déanta aici ná go bhfuil amhrán scríofa aici do na CRAINN.

Mar sin, chaith muid an lá inniu ag foghlaim an amhráin is measa a scríobhadh riamh.

Tá mé buíoch nach mbeidh Rodrick sa lucht féachana don dráma. Dúirt Mrs Norton gur "ócáid leathfhoirmúil" a bheidh ann agus tá a fhios agam nach gcaithfeadh Rodrick carbhat ar ór ná ar airgead.

Ach ní raibh an lá inniu ródhona ar chor ar bith. Leag Rodney James Archie Kelly agus bhris seisean a fhiacail mar nach raibh sé in ann a lámha a chur amach roimhe.

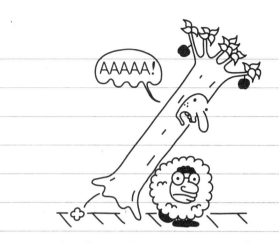

Mar sin, beidh cead agaihn ár lámha a bheith
amuigh againn don dráma.

Dé Máirt
Anocht an oíche mhór do "The Wizard of Oz".
Ach bhí sé soiléir domsa sular thosaigh an dráma
ar chor ar bith nach rachadh rudaí i gceart.

D'fhéach mé amach
trí na cuirtíní ar an
lucht féachana agus
chonaic mé Rodrick sa
suíochán tosaigh agus
carbhat air.

Is dócha go bhfuair sé amach go mbeinn ag canadh agus bhí sé ag iarraidh bheith ag magadh fúm.

Bhí an dráma le tosú ag a 8:00 ach cuireadh moill air mar gur tháinig scéin stáitse ar Rodney James.

Cheapfá nach mbeadh stró ar bith ar dhuine nach bhfuil le déanamh aige ach suí ar an stáitse, ach b'éigean dá mhama teacht agus é a thabhairt abhaile.

Thosaigh an dráma sa deireadh thiar ag 8:30. Ní raibh duine ar bith in ann cuimhneamh ar a línte ach choinnigh Mrs Norton rudaí ag imeacht leis an bpianó.

Thug an páiste a bhí i bpáirt Tótó stóilín agus irisí leis ar stáitse. Ní raibh cuma madra air beag ná mór.

Nuair a bhí sé in am do radharc na foraoise, phreab na Crainn amach ar stáitse agus nuair a d'ardaigh na cuirtíní, chuala mé glór Manny.

Iontach. D'éirigh liom an leasainm sin a cheilt ar feadh cúig bliana agus anois tá sé ar eolas ag gach duine ar an mbaile. Mhothaigh mé go raibh 300 péire súl ag féachaint orm.

Chum mé cúpla líne as mo sheasamh chun an náire a chaitheamh anonn ar Archie Kelly.

THIT ÚLL UAIT, "BUBAÍ"

Ach bhí tuilleadh náire le teacht. Nuair a chuala mé Mrs Norton ag tosú ar "Trí Chrann Donn" ar an bpianó, phreab mo chroí i mo bhéal.

D'fhéach mé amach ar an lucht féachana agus chonaic mé go raibh físcheamara ag Rodrick.

Bhí a fhios agam dá gcasfainn an t-amhrán go gcoinneodh Rodrick an téip agus go mbeinn náirithe aige go deo.

Ní raibh a fhios agam cad a dhéanfainn agus nuair a tháinig an t-am chun an t-amhrán a chasadh, choinnigh mé mo bhéal dúnta.

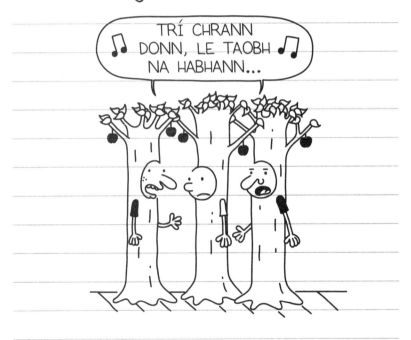

Bhí gach rud go breá ar feadh cúpla soicind. Bhí a fhios agam mura gcasfainn an t-amhrán nach mbeadh rud ar bith ag Rodrick orm. Ach tar éis tamaill, thug na Crainn eile faoi deara.

Is dócha gur cheap siad go raibh eolas éigin agamsa
nach raibh acusan agus stop siad ag canadh.

Anois bhí an triúr againn ina seasamh ansin inár
dtost. Cheap Mrs Norton go raibh dearmad
déanta againn ar na focail agus tháinig sí anall
le taobh an stáitse le cogar a chur inár gcluasa.

Níl an t-amhrán ach trí nóiméad ar fad ach ba gheall le huair an chloig é. Ní raibh uaim ach go dtiocfadh na cuirtíní anuas agus go rachainn abhaile.

Ansin chonaic mé Patty Farrell ag fanacht lena seans teacht ar stáitse agus í ag tabhairt an drochshúil dúinn. Is dócha gur cheap sí go raibh muide ag milleadh a deis bheith ar Broadway.

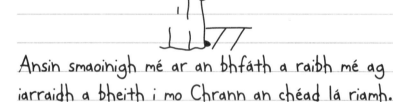

Ansin smaoinigh mé ar an bhfáth a raibh mé ag iarraidh a bheith i mo Chrann an chéad lá riamh.

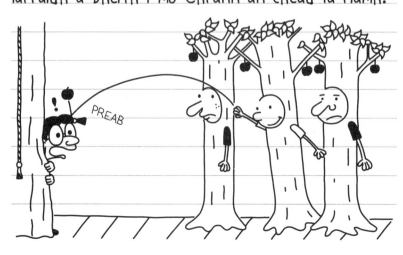

PREAB

Sula i bhfad bhí na Crainn uile ag caitheamh úll, agus Tótó é féin ceapaim.

Leagadh a cuid spéaclaí dá ceann agus briseadh iad. Chuir Mrs Norton stop leis an dráma ag an bpointe sin ó tharla nach raibh Patty in ann rud ar bith a fheiceáil.

Nuair a bhí an dráma thart, chuaigh mo theaghlach abhaile in éineacht. Bhí bláthanna ag mo Mhama, domsa is dócha. Ach chaith sí sa bhosca bruscair iad ar a bealach amach an doras.

Tá súil agam gur bhain gach duine a tháinig chuig an dráma an oiread sásaimh as is a bhain mise.

Bhuel, tharla rud amháin maith mar thoradh ar an dráma - ní gá dom imní a dhéanamh faoin leasainm "Bubaí" níos mó.

Chonaic mé buachaillí ag spochadh as Archie Kelly sa phasáiste inniu agus lig mé osna faoisimh asam.

Dé Domhnaigh
Leis an méid ar fad a bhí ag tarlú ar scoil, ní raibh deis agam smaoineamh ar an Nollaig. Níl ach deich lá fágtha go Lá Nollag.

Níor smaoinigh mé riamh air go dtí gur chuir Rodrick an liosta bronntanas a bhí uaidh suas ar an gcuisneoir.

Bronntanais
Rodrick

1. Drumaí nua
2. Veain nua
3. Ceann níos lú

De ghnáth bíonn liosta fada agam féin, ach níl uaim i mbliana ach an cluiche físe "Twisted Wizard".

Anocht bhí Manny ag cur marc mór dearg ar gach a bhí uaidh sa chatalóg bréagán. Bhí marc aige ar gach rud. Bhí marc aige ar rudaí a bhí an-daor fiú.

Shuigh mé síos leis chun comhairle a chur air.

Dúirt mé leis dá gcuirfeadh sé marc ar rudaí
a bhí an-daor nach bhfaigheadh sé ach ualach
éadaí mar bhronntanais. Dúirt mé leis gan ach
cúpla rud nach raibh ródhaor a phiocadh amach
agus go mbeadh seans maith aige iad a fháil.

Ach, ar ndóigh, níor éist sé liom agus lean sé
air ag cur marc ar gach rud.

Nuair a bhí mise seacht, ní raibh uaim ach
"Barbie Dream House". NÍ mar gheall gur maith
liom bréagáin do chailíní, mar a dúirt Rodrick.

Ach cheap mé go ndéanfadh sé dún iontach do mo chuid saighdiúirí.

Nuair a chonaic Mama agus Daid mo liosta thosaigh siad ag troid faoi. Dúirt Daid nach raibh sé chun teach bábóige a cheannach dom, ach dúirt Mama go mbeadh sé folláin dom a bheith ag súgradh le gach cineál bréagán.

Creid é nó ná creid, fuair Daid an lámh in uachtar san argóint sin. Dúirt sé liom tosú ar mo liosta arís agus bréagáin níos "oiriúnaí" do bhuachaillí a roghnú.

Ach tá cleas maith agam faoi Nollaig. Faigheann mUncail Charlie rud ar bith dom a bhíonn uaim agus d'iarr mé an "Barbie Dream House" air.

Ar Lá Nollag nuair a shín sé chugam mo bhronntanas ní hé an teach bábóige a bhí ann. Seans gur phioc sé suas an chéad rud sa siopa a raibh "Barbie" scríofa air.

Mar sin, má fheiceann tú pictiúir díomsa le "Beach Fun Barbie" i mo lámh agam, tuigfidh tú cén fáth.

Ní mó ná sásta a bhí Daid agus dúirt sé liom é a thabhairt do charthanacht nó é a chaitheamh amach láithreach.

Ach choinnigh mé é agus b'fhéidir gur thóg mé amach as an mbosca é uair nó dhó.

Sin an fáth go raibh mé san ospidéal cúpla seachtain ina dhiaidh sin agus bróg de chuid Barbie i bhfostú i mo shrón. Má bhíonn cead a chinn ag Rodrick, ní chloisfidh mé a dheireadh sin go deo.

Déardaoin
Chuaigh mé féin agus Mama amach tráthnóna chun bronntanas a cheannach le cur faoin gcrann sa séipéal. Go bunúsach, fágann tú bronntanas faoin gcrann do dhuine atá bocht.

Phioc Mama amach geansaí dearg olla le tabhairt don duine bocht.

D'impigh mé uirthi rud éigin níos fearr a fháil ar nós teilifís nó seinnteoir ceoil.

Samhlaigh mura bhfaighfeá rud ar bith faoi
Nollaig ach geansaí olla.

Tá mé cinnte go gcaithfidh an duine bocht an
geansaí sa bhruscar.

An Nollaig
Nuair a chuaigh mé síos an staighre ar maidin
bhí míle is céad bronntanas faoin gcrann. Ach
nuair a d'fhéach mé i gceart, ní raibh mórán
bronntanas ar bith le m'ainmse orthu.

Ach rinne Manny an-mhaith dó féin. Fuair sé
GACH UILE RUD a bhí marcáilte aige sa
chatalóg. Cuirfidh mé geall leat go bhfuil sé sásta
nár éist sé liomsa.

Fuair mé cúpla rud le m'ainm orthu, ach ní raibh
iontu ach leabhair agus stocaí agus rudaí mar sin.

D'oscail mé mo chuid bronntanas ar chúl an toilg
mar nach maith liom nuair atá Daid thart agus
mé ag oscailt bronntanais. Is breá leis a bheith
ag glanadh suas i mo dhiaidh.

STRÓIC

Fuair mé héileacaptar do Manny agus leabhar faoi racghrúpaí do Rodrick. Fuair Rodrick an leabhar "Best of L'il Cutie" domsa. Sin an greannán a bhíonn sa nuachtán agus tá a fhios aige go bhfuil an ghráin agam air. Seo an ceathrú bliain as a chéile a bhfuil leabhar "L'il Cutie" faighte aige dom.

Thug mé a mbronntanais do Mhama agus do Dhaid. Faighim mórán an rud céanna dóibh gach bliain agus is breá leo é.

Tháinig na gaolta ag a 11:00 agus tháinig Uncail Charlie ag meán lae.

Bhí mála mór dubh bronntanas ag Uncail Charlie agus tharraing sé amach mo cheannsa ar dtús.

Bhí an beart díreach an méid agus an cruth ceart agus bhí a fhios agam go raibh an cluiche "Twisted Wizard" faighte aige dom. Bhí an ceamara faoi réir ag Mama.

Ach ní raibh ann ach pictiúr 8x10 d'Uncail Charlie.

Caithfidh go raibh an díomá le feiceáil ar m'aghaidh agus bhí Mama crosta. Tá mé buíoch nach duine fásta mé mar go ligeann siad sin orthu féin go bhfuil siad sásta le bronntanais an t-am ar fad.

Chuaigh mé suas chuig mo sheomra chun sos a ghlacadh agus tháinig Daid suas i mo dhiaidh. Dúirt sé liom go raibh bronntanas sa gharáiste aige dom agus go raibh sé amuigh ansin mar go raibh sé rómhór le tabhairt isteach sa teach.

Cad a bhí ann ach meaisín traenála meáchan.

Bhreathnaigh sé an-daor go deo. Ní raibh sé de chroí agam a rá leis go raibh suim caillte agam sa traenáil ó shin agus dúirt mé "Go raibh maith agat" leis.

Ceapaim go raibh Daid ag súil go dtosóinn ag úsáid an mheaisín láithreach agus d'iompaigh mé ar mo sháil agus chuaigh mé isteach sa teach arís.

Ag thart ar a 6:00 d'imigh na gaolta ar fad.

Bhí mé i mo shuí ar an tolg ag féachaint ar Manny ag spraoi lena bhréagáin agus trua agam dom féin. Tháinig Mama chugam agus dúirt sí go raibh bronntanas caite taobh thiar den tolg le máinm air.

Bhí an bosca rómhór le haghaidh "Twisted
Wizard" ach d'imir sí cleas "An Bosca Mór" orm
anuraidh nuair nach raibh ann ach cárta cuimhne.

Stróic mé an páipéar den bhosca agus tharraing
mé amach mo bhronntanas. Ní "Twisted Wizard"
a bhí ann ach geansaí mór dearg olla.

Cheap mé gur ag magadh fúm a bhí sí ar dtús,
mar ba é an geansaí céanna é a cheannaigh sí
don duine bocht.

Ach níor thuig sí féin ach an oiread é. Dúirt
sí gur cheannaigh sí cluiche físe dom agus nach
raibh tuairim ar bith aici cén fáth a raibh an
geansaí sa bhosca.

Thuig mé ansin go raibh bronntanas an duine bhoicht faighte agamsa agus mo bhronntanasa faighte aigesean.

Dúirt sí gur úsáid sí an páipéar céanna ar an dá bhronntanas agus go gcaithfidh sé gur chuir sí na hainmneacha míchearta orthu.

Ach ansin dúirt sí gur rud maith a bhí ann mar go mbeadh an duine bocht thar a bheith sásta lena bhronntanas.

MÍORÚILT NA NOLLAG!

Mhínigh mé di gur theastaigh meaisín cluichí uaidh agus teilifís chun an cluiche a imirt.

Cé go raibh rudaí go dona domsa, tá mé cinnte go raibh siad níos measa don níos measa don duine bocht a fuair.

Rinne mé cinneadh éalú as an teach agus chuaigh mé suas chuig teach Rowley.

Rinne mé dearmad bronntanas a fháil do Rowley agus chuir mé ribín ar an leabhar "L'il Cutie" a thug Rodrick dom.

Rinne sé sin cúis.

Tá go leor airgid ag tuismitheoirí Rowley agus faighim bronntanas maith uathu i gcónaí.

Ach dúirt Rowley gur phioc sé amach mo bhronntanas é féin i mbliana. Thug sé amach taobh amuigh mé chun é a fheiceáil.

Cheap mé ón gcaint a bhí aige gur teilifís ollmhór nó gluaisrothar a bheadh ann.

Ach, arís, bhí mé ag súil leis an iomarca.

Fuair Rowley Roth Mór dom. Thaitneodh sé seo liom cúig bliana ó shin, ach tá mé i bhfad róshean anois.

Bhí Rowley chomh tógtha leis gur lig mé orm féin go raibh mé sásta.

Chuaigh muid isteach arís agus thaispeáin Rowley a chuid bronntanas dom.

Fuair sé i bhfad níos mó ná mar a fuair mise.
Fuair sé "Twisted Wizard" fiú amháin. Ar a
laghad beidh mé in ann é a imirt - go dtí go
bhfeicfidh a Dhaid an méid foréigin atá ann.

Bhí Rowley thar a bheith tógtha lena leabhar
"L'il Cutie". Dúirt a mhama gurbh é an t-aon rud
ar a liosta é nach bhfuair sé.

Ar a laghad fuair DUINE ÉIGIN an rud a bhí
uathu.

<u>Oíche Chinn Bhliana</u>

Má tá tú ag déanamh iontais go bhfuil mé i mo sheomra ag a 9:00 Oíche Chinn Bhliana, fan go n-inseoidh mé duit.

Bhí mé féin agus Manny ag pleidhcíocht sa gharáiste níos luaithe agus chonaic mé píosa beag snáithe ar an urlár agus dúirt mé le Manny gur damhán alla a bhí ann.

Lig mé orm féin go raibh mé chun é a chur siar ina bhéal.

Díreach agus mé ar tí ligean leis, bhuail sé mo lámh agus thit an snáithe uaim. Ní thomhaisfeá cad a tharla. Shlog an diabhailín é.

Bhuel, chaill Manny an ceann agus rith sé isteach chuig Mama agus bhí a fhios agam go raibh mé i dtrioblóid mhór.

Dúirt Manny le Mama gur chuir mé iallach air damhán alla a ithe. D'inis mé di nach raibh ann ach píosa snáithe.

SMAOISÍL

Thug Mama Manny anonn ag an mbord agus leag sí síol, rísín agus sú talún os a chomhair amach. Dúirt sí leis méar a leagan ar an rud a bhí an méid céanna leis an rud a shlog sé.

Rinne Manny a mhachnamh.

Ansin shiúil sé anonn chuig an gcuisneoir agus
thóg sé amach oráiste.

Sin an fáth gur cuireadh suas a chodladh mé ag
a 7:00 agus nach bhfuil mé thíos an staighre ag
féachaint ar an teilifís.

Agus sin an fáth gurb é mo rún don Bhliain Nua
gan spraoi le Manny arís go deo.

EANÁIR

Fuair mé bealach le spraoi a bhaint as an Roth Mór a fuair Rowley dom don Nollaig. Téann duine amháin síos an fána ar an Roth Mór agus déanann an duine eile iarracht é a leagan le liathróid.

Ba é Rowley an chéad duine síos agus mise a bhí ag caitheamh.

Tá sé i bhfad níos deacra ná mar a cheap mé. Thóg sé thart ar dheich nóiméad ar Rowley an Roth Mór a bhrú suas an cnoc gach uair.

Bhí Rowley de shíor ag iarraidh babhtáil liom ach ní aon amadán mise. Bhí an rud sin ag dul síos tríocha cúig míle san uair agus gan aon choscán air.

Ar aon nós, níor éirigh liom Rowley a leagan ach tabharfaidh an cleachtadh rud éigin le déanamh dom thar an Nollaig.

Déardaoin
Bhí mé ar tí dul suas chuig Rowley inniu ach dúirt Mama liom go raibh orm mo chuid nótaí buíochais a chríochnú ar dtús.

Cheap mé go mbeidís déanta agam taobh istigh de leathuair ach ní raibh mé in ann smaoineamh ar rud ar bith le scríobh.

Tá sé deacair a bheith buíoch as rud nach raibh uait sa chéad áit.

Thosaigh mé leis na bronntanais nach éadaí iad mar gur cheap mé go mbeidís sin níos éasca, ach bhí an rud céanna á scríobh agam arís is arís eile.

Mar sin, rinne mé amach foirm ghinearálta ar an ríomhaire agus d'fhág mé spás do na rudaí a bhí le hathrú. Bhí rudaí i bhfad níos éasca ansin.

A **Aintín Lydia**, a chara,

Go raibh míle maith agat as an **atlas** iontach!
Conas a raibh a fhios agat go raibh ceann uaim?

Is breá liom an chuma atá ar an **atlas** ar mo **sheilf!**

Beidh mo chuid cairde ar fad in éad liom go bhfuil **atlas** de mo chuid féin agam.

Mar gheall ortsa, is í seo an Nollaig is fearr riamh!

Le meas, Greg

D'oibrigh mo chóras go maith don chéad chúpla bronntanas ach ní raibh sé iontach ina dhiaidh sin.

A **Aintín Loretta**, a chara,

Go raibh míle maith agat as an **mbríste** iontach!
Conas a raibh a fhios agat go raibh ceann uaim?

Is breá liom an chuma atá ar an **mbríste** ar mo **chosa!**

Beidh mo chuid cairde ar fad in éad liom go bhfuil **bríste** de mo chuid féin agam.

Mar gheall ortsa, is í seo an Nollaig is fearr riamh!

Le meas, **Greg**

139

Dé hAoine

Sa deireadh thiar d'éirigh liom Rowley a leagan den Roth Mór inniu, ach níor tharla sé mar a bhí mé ag súil leis. Bhí mé ag iarraidh é a bhualadh ar an ngualainn ach chuaigh an liathróid faoin roth tosaigh.

Chuir Rowley amach a lámha chun é féin a shábháil ach thit sé go trom ar a lámh chlé. Cheap mé go mbeadh sé ceart go leor agus go rachadh sé ar ais ar an rothar, ach ní dheachaigh.

Rinne mé iarracht é a chur ag gáire ach níor oibrigh ceann ar bith de mo chuid jócanna.

Bhí a fhios agam ansin go raibh sé gortaithe
go holc.

Dé Luain

Tá saoire na Nollag thart agus tá muid ar ais
ar scoil. An cuimhin leat timpiste Rowley ar an
Roth Mór? Bhuel, bhris sé a lámh agus anois tá
plástar air. Agus inniu bhí gach duine ag bailiú
timpeall amhail is gur laoch é.

Thriail mé teacht i dtír ar an tóir mhór atá ar Rowley anois, ach níor oibrigh mo phlean.

Ag am lóin, thug grúpa cailíní cuireadh dó suí leo ionas go bhféadfaidís é a BHEATHÚ.

An rud is measa faoi sin ná gur deasóg é Rowley agus is í a lámh CHLÉ atá briste. Níl fadhb ar bith aige é féin a bheathú.

Dé Máirt

Thuig mé go raibh gortú Rowley ag déanamh
an-mhaitheas dó agus mheas mé go raibh sé in am
agam gortú de mo chuid féin a bheith agam.

Fuair mé cúpla bindealán sa bhaile agus chas mé
timpeall ar mo lámh iad amhail is go raibh sí
gortaithe.

TÁ GALAR
TAGTHA UIRTHI MAR
GO nDEACHAIGH
DEALG INTI!

Níor thuig mé i dtosach cén fáth nach raibh an
tsuim chéanna ag na cailíní ionam is a bhí acu i
Rowley, ach ansin rith sé liom.

Tá gach duine in ann a gcuid ainmneacha a chur
ar an bplástar mar go bhfuil sé crua, ach ní
féidir sin a dhéanamh le bindealán.

Mar sin, tháinig mé ar réiteach maith.

Theip ar an bplean sin freisin. Cé gur tharraing mo bhindealán aird, ba aird í ó dhaoine nár theastaigh uaim a bheith gar dom.

Dé Luain

Thosaigh muid ar an dara leath den scoilbhliain an tseachtain seo caite agus tá ranganna nua agam anois arís. Tá "Staidéar Neamhspleách" ar cheann de na ranganna nua sin.

Bhí mé ag iarraidh Eacnamaíocht Bhaile 2 a dhéanamh mar go raibh mé go maith ag Eacnamaíocht Bhaile 1.

Ach ní chuidíonn sé le d'íomhá ar scoil a bheith go maith ag fuáil.

Ar aon nós, is rang píolótach é an "Staidéar Neamhspleách" atá ar bun den chéad uair.

Tugtar tionscnamh don rang agus bíonn ar gach duine oibriú ar an tionscnamh sin gan aon mhúinteoir sa seomra.

An fhadhb atá leis ná go bhfaighidh gach duine sa rang an grád céanna sa deireadh. Fuair mé amach go bhfuil Ricky Fisher i mo rang agus d'fhéadfadh sé gur fadhb a bheadh ansin.

Piocfaidh Ricky seanghuma coganta de bhun an bhoird agus cognóidh sé é má íocann tú caoga cent leis. Ní bheadh mórán misnigh agam as a ábaltacht siúd sa rang.

Dé Máirt
Fuair muid ár dtionscnamh don "Staidéar Neamhspleách" inniu agus tá orainn róbat a thógáil.

Bhí gach duine scanraithe ar dtús mar gur cheap muid go mbeadh orainn an róbat a thógáil as an nua.

Ach ansin dúirt Mr Darnell linn nach mbeadh orainn róbat ceart a thógáil. Ní bheadh orainn ach teacht aníos le smaointe faoin gcuma a bheadh air agus céard a bheadh sé in ann a dhéanamh.

Ansin d'fhág sé an seomra agus bhí muid linn féin. Thosaigh muid ag caitheamh amach smaointe agus scríobh mé síos mo chuid smaointe féin ar an gclár dubh.

Dhéanfadh an róbat

M'obair bhaile
Na soithí
Mo bhricfeasa
M'fhiacla a ní

Bhí gach duine an-tógtha le mo chuid smaointe, ach ní raibh ann ach na rudaí a bhfuil an ghráin agam a bheith á ndéanamh.

Chuaigh roinnt de na cailíní suas ansin mar go raibh smaointe dá gcuid féin acu, agus ghlan siad amach mo chuid smaointe.

Bhí siadsan ag iarraidh róbat a chuirfeadh comhairle ort maidir le buachaillí agus a mbeadh deich gcineál snas béil ar bharr a mhéara.

Cheap na buachaillí gurbh iad sin na smaointe ba seafóidí a chuala muid riamh. Mar thoradh air sin, bhris an rang suas ina dhá ghrúpa. Chuaigh na buachaillí anonn ar thaobh amháin den seomra agus chaith na cailíní an t-am ar fad ag caint.

Anois agus na hoibrithe dáiríre ar fad in aon áit amháin againn, thosaigh muid ag obair. Smaoinigh duine amháin go mbeadh an róbat in ann d'ainm a rá ar ais leat.

HI A SHEÁIN,
DEAS BUALADH
LEAT A SHEÁIN

Dúirt duine eile nár cheart go mbeadh tú in ann focail dhána a úsáid mar nár cheart go mbeadh an róbat ag eascainí. Rinne muid cinneadh mar sin liosta a scríobh de na focail dhána ar fad nár cheart don róbat a rá.

Smaoinigh muid ar na gnáthfhocail ar fad ach smaoinigh Ricky Fisher ar fiche ceann eile nár chuala muid riamh cheana.

Is é a tharla sa deireadh ná gurbh é Ricky an duine ba mhó a chuidigh leis an tionscnamh.

Sular buaileadh an cloigín, tháinig Mr Darnell isteach chun seiceáil ar an dul chun cinn a bhí á dhéanamh againn. Phioc sé suas an píosa páipéir agus léigh sé é.

Le scéal fada a dhéanamh gearr, cuireadh "Staidéar Neamhspleách" ar ceal don chuid eile den bhliain.

Bhuel, bhí sé ar ceal do na buachaillí. Má bhíonn snas béil ar na róbait amach anseo, beidh a fhios agat conas a tharla sé.

Déardaoin
Tugadh gach duine le chéile sa scoil inniu chun féachaint ar an scannán "Is Deas Liom Mé Féin". Taispeánann siad dúinn é gach bliain.

Dar leis an scannán, ba cheart duit a bheith sásta leat féin mar atá tú agus gan rud ar bith a athrú fút féin.

Ceapaimse gur amaideach an teachtaireacht í sin, go háirithe do na daltaí sa scoil seo.

Níos déanaí, d'fhógair siad go bhfuil siad ag lorg daoine don Phatról Sábháilteachta agus chuir sin ag smaoineamh mé.

Má bhíonn duine ag cur isteach ar oifigeach den Phatról Sábháilteachta, caitear amach as an scoil iad. Is iontach an chosaint a bheadh ansin dom.

Dhéanfadh sé maitheas dom freisin údarás éigin a bheith agam.

Chuaigh mé síos chuig oifig Mr Winsky le
m'ainm a chur síos agus chuir mé iallach ar
Rowley an rud céanna a dhéanamh. Cheap mé
go gcuirfeadh Mr Winsky iallach orainn cleachtaí
aclaíochta éigin a dhéanamh i dtosach ach shín
sé chugainn ár gcuid criosanna agus suaitheantas
ar an bpointe.

Dúirt Mr Winsky go mbeadh freagracht
speisialta orainn. Tá ár scoil díreach le taobh
naíonra agus tá siad ar leathlá inniu.

Tá sé ag iarraidh orainn siúl abhaile leis na
páistí beaga i lár an lae. Chiallódh sé sin go
gcaillfeadh muid rang mata. Bhí Rowley ar tí
rud éigin a rá, ach thug mé cic crua dó faoin
deasc sula bhféadfadh sé a abairt a chríochnú.

Nach orm a bhí an t-ádh - saoirse ó Mhata
agus cosaint ó bhulaithe ag an am céanna.

<u>Déardaoin</u>

Ba é inniu ár gcéad lá ar Phatról Sábháilteachta agus ó tharla nach bhfuilim féin agus Rowley ach ag tosú, ní gá dúinn seasamh amuigh san fhuacht cosúil leis na hoifigigh eile.

Ní hé sin le rá nach bhfuair muid an tseacláid the a thugtar do na hoifigigh eile tar éis a gcuid oibre.

CLING

Buntáiste amháin eile a bhaineann leis ná gur féidir leat a bheith mall ag dul isteach sa rang.

HAIL-LEO!

Tá mé ar mhuin na muice leis an jab seo.

Ag 12:15 d'fhág mise agus Rowley an scoil agus chuaigh muid chuig an naíonra. Thóg an turas ar fad daichead a cúig nóiméad orainn agus ní raibh ach fiche nóiméad de Mhata fágtha nuair a d'fhill muid.

Ní raibh fadhb ar bith leis na páistí ón naíonra, cé go raibh boladh bréan ag teacht ó bhríste dhuine acu.

Rinne sé iarracht é sin a insint dom, ach níor thug mé aon aird air. Tá mé breá sásta siúl abhaile leo, ach níl mé chun aon chlúidín a athrú.

TARRAING
TARRAING

FEABHRA

<u>Dé Céadaoin</u>

Thosaigh sé ag cur sneachta inniu den chéad uair agus dúnadh an scoil. Bhí scrúdú le bheith againn sa Mhata agus níl mórán déanta agam ann le tamall mar gheall ar an bPatról Sábháilteachta. Mar sin, bhí áthas an domhain orm.

D'iarr mé ar Rowley teacht ar cuairt. Tá muid ag caint le blianta fada ar an bhfear sneachta is mó ar domhan a thógáil.

Nuair a deirim an fear sneachta is mó ar domhan, níl mé ag magadh. Tá muid ag iarraidh a bheith sa "Guinness Book of World Records".

156

FLAIS

Ach gach uair cheana a thosaigh muid air seo
thosaigh an sneachta ag leá. Mar sin, i mbliana,
tá mé ag iarraidh tosú air láithreach.

Nuair a tháinig Rowley thosaigh muid ar bholg
an fhir sneachta. Mheas mé go mbeadh air seo
a bheith dhá mhéadar caoga ar airde as féin má
bhí muid chun an churiarracht a bhriseadh. Ach
thosaigh sé ag fáil an-trom agus bhí orainn go
leor sosanna a thógáil.

Le linn ceann dár sosanna tháinig Mama amach chun dul chuig an siopa ach bhí an liathróid sneachta sa bhealach uirthi agus b'éigean di beagán oibre a dhéanamh dúinn.

Tar éis sosa, bhrúigh mise agus Rowley an liathróid sneachta go dtí go raibh muid traochta. Ansin chonaic muid an phraiseach a bhí déanta.

Bhí an féar a bhí curtha ag Daid sa ghairdín an fómhar seo caite tarraingthe aníos ag an liathróid sneachta.

Bhí mé ag súil go dtosódh sé ag cur sneachta arís chun an phraiseach a chlúdach, ach bhí an sneachta stoptha.

Bhí ár bplean chun an fear sneachta is mó ar domhan a thógáil ag titim as a chéile, ach smaoinigh mé ar phlean eile.

Gach uair a thiteann sneachta, tagann páistí ó Shráid Whirley chun sleamhnú síos an cnoc.

Mar sin, maidin amárach nuair a thiocfaidh siad, múinfidh mise agus Rowley ceacht dóibh.

Déardaoin
Nuair a dhúisigh mé ar maidin bhí an sneachta ag leá agus dúirt mé le Rowley teacht ar an bpointe.

Fad a bhí mé ag fanacht ar Rowley, chonaic mé go raibh Manny ag iarraidh a bheith ag tógáil fear sneachta leis na blúiríní beaga a bhí fágtha sa ghairdín.

Ba thruamhéalach an radharc é.

Ní raibh aon neart agam ar an méid a tharla ansin. Ach, faraor, díreach ag an nóiméad sin, bhí Daid ag an bhfuinneog.

Bhí Daid crosta liom cheana féin as an ngairdín a mhilleadh, agus bhí a fhios agam go raibh mé i dtrioblóid mhór anois. Tháinig sé amach as an teach le sluasaid agus cheap mé go mbeadh orm teitheadh.

Ach ba i dtreo na liathróide sneachta a chuaigh sé agus laistigh de nóiméad bhí ár gcuid oibre ar fad scriosta aige.

Tháinig Rowley cúpla nóiméad ina dhiaidh sin agus cheap mé go mbainfeadh sé sult as an méid a bhí tarlaithe.

Ach bhí sé ag súil go mór leis an liathróid sneachta a ligean síos an cnoc agus bhí sé thar a bheith crosta. Bhí sé crosta LIOMSA as rud a rinne DAID.

Dúirt mé gur páiste mór é agus thosaigh muid ag brú a chéile. Bhí muid ar tí tosú ag troid i gceart nuair a ionsaíodh muid le liathróidí sneachta.

Ba iad boic Shráid Whirley a bhí ann agus theith siad ar an bpointe.

Agus dá mbeadh mo mhúinteoir Béarla, Mrs Levine, i láthair, tá mé cinnte go ndéarfadh sí go raibh an rud ar fad "íorónta".

Dé Céadaoin
Fógraíodh ar scoil inniu go bhfuil nuachtán na scoile ag lorg cartúnaí. Bryan Little a bhí á dhéanamh go dtí seo.

"Wacky Dawg" a bhí ar ghreannán Bryan agus bhí sé greannmhar go maith ag an tús.

Ach le déanaí, bhí an greannán faighte an-phearsanta agus gach seans gurbh é sin an chúis ar tugadh bata is bóthar dó.

Wacky Dawg   Bryan Little

A luaithe a chuala mé an scéal, bhí an post uaim. Bhí Bryan Little cáiliúil sa scoil mar gheall ar "Wacky Dawg" agus bhí mise ag iarraidh a bheith cáiliúil mé féin.

Fuair mé blaiseadh den chlú nuair a luadh m'ainm mar chuid den chomórtas frith-thobac a bhí ar bun.

Chóipeáil mé pictiúr ó cheann d'irisí rac-cheoil Rodrick agus tá súil agam nach bhfaighidh duine ar bith amach go deo faoi.

Ba é Chris Carney a fuair an chéad áit. An rud is measa faoi sin ná go gcaitheann sé siúd dhá bhosca toitíní in aghaidh an lae.

Déardaoin

Tháinig mé féin agus Rowley le chéile chun cartún a dhéanamh. Chuaigh muid i mbun oibre tar éis na scoile.

Chruthaigh muid na carachtair ar dtús, ach bhí sé sin an-éasca. Bhí sé an-deacair smaoineamh ar jócanna, áfach.

Ach tháinig mé ar réiteach maith sa deireadh.

Chum mé cartún a chríochnódh gach uair leis an abairt "Zú-Wí-Mama!"

Ar an gcaoi sin ní bheadh orainn am a chaitheamh ag cumadh jócanna agus bheadh muid in ann díriú ar na pictiúir.

Tharraing mise na pictiúir, scríobh mé na línte agus tharraing Rowley na boscaí timpeall orthu.

Thosaigh Rowley ag tabhairt amach nach raibh a dhóthain le déanamh aige agus lig mé cead dó cúpla ceann a scríobh.

Ach, le bheith ionraic, thit an caighdeán go mór nuair a thosaigh Rowley ag scríobh.

D'éirigh mé tinn tuirseach den "Zú-Wí-Mama" sa deireadh agus lig mé cead do Rowley a bheith i gceannas.

Agus creid é nó ná creid, tá pictiúir Rowley níos measa ná a chuid scríbhneoireachta.

Dúirt mé le Rowley gur cheart dúinn smaoineamh ar rud éigin nua, ach bhí seisean ag iarraidh fanacht le "Zú-Wí-Mama!". Chroch sé leis na greannáin agus chuaigh sé abhaile. Ba chuma liom. Níl mise ag iarraidh a bheith ag obair le duine éigin nach bhfuil in ann srón a tharraingt.

<u>Dé hAoine</u>

Nuair a d'imigh Rowley inné, thosaigh mé ag obair ar ghreannáin nua leis an gcarachtar "Clád an Cladhaire" agus d'éirigh thar cionn liom.

CLÁD AN CLADHAIRE   le Greg Heffley

Rinne mé thart ar scór acu gan stró.

An rud is fearr faoin ngreannán seo ná go bhfuil
an scoil lán le hamadáin cosúil leis agus ní bheidh
aon easpa inspioráide agam GO DEO.

Nuair a shroich mé an scoil inniu thug mé mo chuid greannán síos chuig Mr Ira atá i gceannas ar nuachtán na scoile.

Nuair a bhí mé ina oifig chonaic mé go raibh carn greannán ann cheana féin ó dhaltaí eile.

Bhí an chuid is mó acu an-dona agus ní raibh aon chúis imní agam.

Cailíní ABÚ!

le tabitha cutter agus lisa russel.

ná tar gar don bhord seo, tyler green!

Sea, níl cuma na caoi ort!

ha ha ha ha ha ha ha ha ha!

TUISLE

Cailíní ABÚ!

:SMACK:

"Múinteoirí Dúra" a bhí ar ghreannán amháin a bhí scríofa ag Bill Tritt.

Bíonn Bill i dtrioblóid i gcónaí agus is dócha go bhfuil cnámh spairne aige le gach múinteoir, Mr Ira san áireamh.

Mar sin, níl mórán imní orm go n-éireoidh le greannán Bill ach an oiread.

Mar a tharlaíonn sé, bhí cúpla greannán maith go leor ann. Ach chuir mé iad sin i bhfolach faoi charn páipéar ar dheasc Mr Ira.

Ní dóigh liom go bhfeicfidh duine ar bith iad sin arís go mbeidh mise críochnaithe leis an scoil.

Déardaoin

Maidin inniu agus mé istigh sa rang, fuair mé an scéal lena raibh mé ag súil.

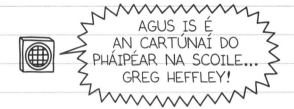

AGUS IS É AN CARTÚNAÍ DO PHÁIPÉAR NA SCOILE... GREG HEFFLEY!

Tháinig an nuachtán amach inniu ag am lóin agus bhí gach duine á léamh.

Bhí mé ag súil go mór mainm a fheiceáil i gcló ach shocraigh mé guaim a choinneáil orm féin go fóill.

Shuigh mé ag ceann an bhoird ionas go mbeadh neart spáis ag daoine a bheadh ag teacht chugam ag iarraidh orm a gcóip den nuachtán a shíniú dóibh. Ach ní raibh duine ar bith ag teacht gar dom agus bhí amhras orm go raibh rud éigin mícheart.

Fuair mé nuachtán agus chuaigh mé isteach sa leithreas chun é a léamh. Agus nuair a chonaic mé an greannán is beag nach raibh taom croí agam.

Dúirt Mr Ira liom go raibh roinnt "leasuithe beaga" déanta aige ar mo ghreannán. Cheap mise nach ndearna sé ach cúpla botún gramadaí a cheartú, ach bhí slad ceart déanta aige air.

Sa cheann a scríobh mise, tá Clád an Cladhaire ag déanamh scrúdú mata agus itheann sé é de thimpiste.

Ach faoin am a raibh Mr Ira réidh leis, ní aithneofá é.

Clád an Créatúirín   le Greg Heffley

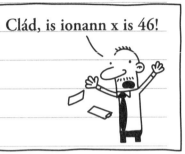

Ní dóigh liom, mar sin, go mbeidh duine ar bith ag iarraidh orm a gcóip den nuachtán a shíniú.

MÁRTA

<u>Dé Céadaoin</u>

Bhí mise agus Rowley ag baint sásaimh as ár seacláid the ar maidin nuair a chuala muid fógra.

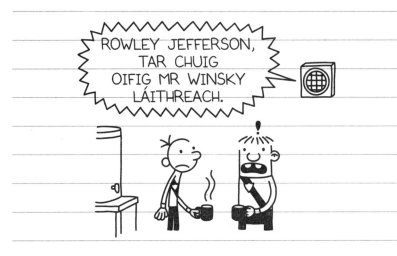

ROWLEY JEFFERSON, TAR CHUIG OIFIG MR WINSKY LÁITHREACH.

Chuaigh Rowley síos chuig oifig Mr Winsky agus nuair a tháinig sé ar ais ceathrú uaire ina dhiaidh sin, bhí sé croite go maith.

Is cosúil go bhfuair Mr Winsky glaoch ó thuismitheoir a chuala go raibh Rowley ag scanrú leanaí an naíonra nuair a bhí sé ceaptha a bheith á dtabhairt abhaile. Agus ní mó ná sásta a bhí Mr Winsky faoi sin.

Dúirt Rowley go raibh Mr Winsky ag tabhairt amach dó ar feadh deich nóiméad agus go raibh an méid a bhí déanta aige ag léiriú "dímheas ar an suaitheantas".

Tá mé ag ceapadh go bhfuil a fhios agam cad as a bhfuil sé seo ag teacht. An tseachtain seo caite, bhí ar Rowley scrúdú a dhéanamh agus thug mise na páistí abhaile liom féin.

Bhí go leor báistí caite aige agus bhí neart péisteanna ar an gcosán. Shocraigh mé píosa spraoi a bheith agam leis na páistí.

Ach, chonaic bean éigin mé agus thosaigh sí ag fógairt orm.

Mrs Irvine a bhí ann. Is cara í le máthair Rowley. Cheap sí gur mise Rowley mar go raibh a chaipín siúd orm, agus ní raibh aon fhonn ormsa í a cheartú.

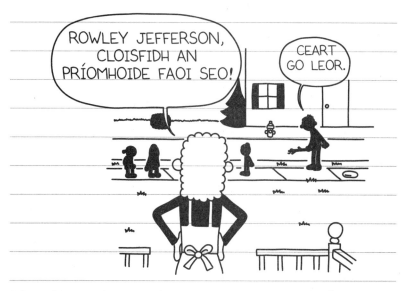

Bhí dearmad glan déanta agam ar an eachtra go dtí inniu.

Ar aon nós, tá ar Rowley a leithscéal a ghabháil le páistí an naíonra agus beidh sé ar fionraí ó na Patróil ar feadh seachtaine.

Bhí a fhios agam gur cheart dom a rá le Mr Winsky gur mise a chuaigh i ndiaidh na leanaí leis na péisteanna, ach ní raibh aon fhonn orm é sin a dhéanamh go fóill. Bhí a fhios agam dá n-inseoinn an fhírinne nach mbeadh seacláid the agam níos mó. Mar sin, shocraigh mé mo bhéal a choinneáil dúnta.

Ag dinnéar anocht, bhí a fhios ag Mama go raibh rud éigin ag cur as dom. Dúirt mé léi go raibh mé i sáinn cheart agus nach raibh a fhios agam cad ba cheart dom a dhéanamh.

Lena ceart a thabhairt di, ní dhearna sí aon iarracht na sonraí a fháil uaim. An t-aon rud a dúirt sí ná gur cheart dom an "rud ceart" a dhéanamh. "Is iad na roghanna a dhéanann muid sa saol a leagann amach cén sórt daoine muid," a dúirt sí.

Sin comhairle mhaith. Ach níl mé 100% cinnte fós cad a dhéanfaidh mé amárach.

Déardaoin
Chaith mé an oíche aréir ag smaoineamh ar an rud seo le Rowley, agus tá cinneadh déanta agam ar deireadh. Is é an rud ceart le déanamh ná ligean do Rowley an milleán a thógáil an uair seo.

TÁ BRÓN ORM GUR SCANRAIGH MÉ NA PÁISTÍ.

Ar an mbealach abhaile ón scoil, d'inis mé an fhírinne do Rowley faoi cad a tharla agus gur mise a scanraigh na páistí leis na péisteanna.

Ansin dúirt mé leis go raibh ceachtanna le
foghlaim ag an mbeirt againn as seo. Dúirt mé
leis gur fhoghlaim mise gur cheart dom a bheith
níos cúramaí os comhair theach Mrs Irvine agus
gur fhoghlaim seisean ceacht luachmhar freisin: bí
cúramach cé dó a thugann tú do chaipín.

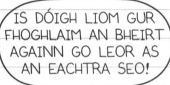

Le bheith fírinneach, ní dóigh liom go raibh
Rowley ag éisteacht i gceart liom.

Bhí muid ceaptha a bheith ag crochadh thart le
chéile tar éis na scoile inniu, ach ní raibh uaidh
ach dul díreach abhaile le dul a chodladh.

Ní chuirfinn aon mhilleán air. Mura mbeadh mo
chuid seacláide te agamsa ar maidin, ní bheadh
mórán fuinnimh agamsa ach an oiread.

Nuair a shroich mé an baile, bhí Mama ag fanacht liom ag an doras.

Thug Mama amach mé i gcomhair uachtar reoite mar cheiliúradh beag. An rud is mó atá foghlamtha agam as an eachtra seo ná gur cheart éisteacht le do mháthair anois is arís.

<u>Dé Máirt</u>

Chuaigh fógra eile amach inniu agus, le bheith fírinneach leat, bhí mé ag súil leis an gceann seo.

Bhí a fhios agam go mbéarfaí amach orm sa deireadh thiar as an méid a tharla an tseachtain seo caite.

Nuair a shroich mé oifig Mr Winsky, bhí sé an-chrosta go deo. Dúirt sé liom gur inis "duine gan ainm" dó gur mise a scanraigh na páistí leis na péisteanna.

Ansin dúirt sé liom go raibh mo chuid dualgas sa Phatról Sábháilteachta le baint díom "láithreach".

Bhuel, ní raibh sé deacair a oibriú amach gurbh é Rowley an "duine gan ainm".

Ní chreidim go bhféadfadh Rowley feall mar seo a dhéanamh orm. Fad a bhí mé i mo shuí ansin ag éisteacht le Mr Winsky ag tabhairt amach dom, bhí mé ag smaoineamh go gcaithfinn léacht a thabhairt do Rowley faoi dhílseacht.

Níos déanaí inniu, cuireadh Rowley ar ais sna Patróil agus fan go gcloisfidh tú: fuair sé ARDÚ CÉIME. Dúirt Mr Winsky gur léirigh Rowley "dínit nuair a bhí bréag curtha ina leith".

Smaoinigh mé ar íde na muc a thabhairt
do Rowley as sceitheadh orm, ach ansin
smaoinigh mé ar rud éigin eile.

I Meitheamh, téann na hoifigigh ar fad sna
Patróil Sábháilteachta ar thuras go Six Flags
agus tá cead acu cara amháin a thabhairt
leo. Caithfidh mé a chinntiú go dtabharfaidh
Rowley mise leis.

Dé Máirt
Mar a dúirt mé cheana, is é an rud is measa faoi
bheith caite amach as na Patróil Sábháilteachta
ná an tseacláid the a chailleadh.

Gach maidin, téim chuig cúldoras na cistine ionas gur
féidir le Rowley cupán a shíneadh amach chugam.

Ach tugann Rowley an chluas bhodhar dom mar go bhfuil sé róghnóthach ag líochán thóin na n-oifigeach eile.

Aisteach go leor, tá a chúl tugtha ag Rowley dom le déanaí. Agus níl sé sin ceart ná cóir mar, más buan mo chuimhne, SEISEAN a sceith ORMSA.

Cé go bhfuil Rowley ina asal ceart le déanaí, rinne mé iarracht rudaí a chur ina gceart eadrainn inniu ar aon nós. Ach níor oibrigh an méid sin féin.

AIBREÁN

<u>Dé hAoine</u>

Ón lá a tharla an eachtra leis na péisteanna, tá Rowley ag crochadh thart le Collin Lee. Tá Collin ceaptha a bheith ina chara AGAMSA nuair nach bhfuil cara ar bith eile ar fáil.

Dá bhfeicfeá an amaidí a bhíonn ar an mbeirt acu. Inniu, bhí siad ag caitheamh t-léinte mar a chéile agus chuir sé fonn múisce orm.

Tar éis an dinnéir anocht, chonaic mé Rowley agus Collin ag siúl suas an choc in éineacht.

Bhí a mhála droma ar Collin agus bhí a fhios agam go raibh sé chun fanacht thar oíche i dteach Rowley.

Bhuel, filleann an feall ar an bhfeallaire. Gheobhaidh mise dlúthchara de mo chuid féin. Ach faraor, an t-aon duine a raibh mé in ann smaoineamh air ag an nóiméad sin ná Fregley.

Chuaigh mé suas chuig Fregley le mo mhála droma le go bhfeicfeadh Rowley go bhfuil cairde eile agamsa freisin.

Nuair a shroich mé an áit, bhí Fregley amuigh sa ghairdín ag bualadh eitleog le maide. B'fhéidir nach smaoineamh maith a bhí anseo tar éis an tsaoil.

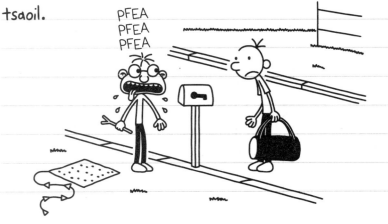

Ach bhí Rowley taobh amuigh dá theach féin ag
féachaint orm agus bhí a fhios agam nach raibh
an dara rogha agam.

Thug mé cuireadh dom féin isteach i dteach
Fregley. Dúirt a mhama go raibh sí ríméadach go
raibh comrádaí ag Fregley le "spraoi" leis.

Chuaigh mé féin agus Fregley suas chuig a sheomra.
Bhí Fregley ag iarraidh orm "Twister" a imirt leis
ach rinne mé cinnte gur fhan mé i bhfad uaidh ar
an taobh eile den seomra.

Ní raibh uaim ach dul abhaile, ach gach uair a
d'fhéach mé amach an fhuinneog, bhí Rowley agus
Collin fós amuigh i ngairdín Rowley.

Ní raibh mé ag iarraidh imeacht go rachaidís isteach sa teach, ach thosaigh rudaí ag dul ó smacht go tapa le Fregley. Fad a bhí mé ag féachaint amach an fhuinneog bhí Fregley tar éis bosca milseán a thógáil as mo mhála agus gach ceann acu a ithe.

Níl Fregley ceaptha aon siúcra a ithe agus dhá nóiméad ina dhiaidh sin bhí sé imithe craiceáilte.

Ba gheall le gealt é agus thosaigh sé ag rith i mo dhiaidh ar fud an tí.

Cheap mé go socródh sé síos tar éis tamaill, ach níor tharla sé sin. B'éigean dom mé féin a chur faoi ghlas ina sheomra folctha.

Ag thart ar a 11:30 bhí ciúnas sa phasáiste agus chuir Fregley nóta isteach faoin doras.

Phioc mé suas é agus léigh mé é.

Gregory, a chara,

Tá an-bhrón orm gur lean mé thú le smaois ar mo mhéar. Seo, chuir mé ar an bpáipéar é le go bhféadfaidh tú do dhíoltas a bhaint amach orm.

Ba é sin an rud deiridh is cuimhin liom sular
tháinig lagar orm.

Dhúisigh mé cúpla uair an chloig ina dhiaidh sin.
D'oscail mé an doras de bheagán agus chuala mé
Fregley ag srannadh ina sheomra. Theith mé as
an teach.

Ní raibh Mama ná Daid sásta gur dhúisigh mé
iad ag a 2:00 ar maidin. Ach faoin tráth sin,
ba chuma liom sa sioc.

<u>Dé Luain</u>

Bhuel, is iarchairde mise agus Rowley le thart
ar mí anois agus chun an fhírinne a rá tá mé i
bhfad níos fearr as dhá uireasa.

Tá mé in ann rud ar bith a dhéanamh gan an
t-ualach breise sin ar mo ghuaillí.

Le tamall anuas, téim isteach i seomra Rodrick
tar éis na scoile ag féachaint ar a chuid stuif.
An lá cheana, fuair mé ceann dá shean-irisí
scoile.

Scríobh Rodrick ar phictiúr gach duine chun a
thuairimí fúthu a léiriú.

Anois is arís feicim roinnt dá sheanchairde ar fud an bhaile. Murach iris scoile Rodrick, ní bheadh an t-aifreann leath chomh suimiúil ar an Domhnach.

Ach is é an leathanach "Scoth an Ranga" is suimiúla ar fad.

Sin an áit a mbíonn na daltaí Is Mó Clú agus Is Cumasaí agus mar sin de.

Scríobh Rodrick ar an leathanach seo freisin.

NA DALTAÍ IS ÉIRIMIÚLA

Bill Watson   Kathy Nguyen

Tá an leathanach seo tar éis mé a chur ag smaoineamh.

Má éiríonn leat dul ar leathanach "Scoth an Ranga" beidh tú i gcuimhne na ndaoine go deo. Is cuma mura n-éireoidh leat sa saol mar atá tuartha san iris, is taifead buan an leathanach sin.

Ceapann daoine i gcónaí go bhfuil Bill Watson speisialta, cé nár éirigh leis an scoil a chríochnú fiú.

Feiceann muid é san ollmhargadh ó am go chéile.

Seo atá ar intinn agam: tubaiste a bhí sa bhliain seo, ach má éiríonn liom bheith ar leathanach "Scoth an Ranga" beidh gach rud ina cheart arís.

Níl seans agam sa chatagóir don dalta Is Mó Clú ná an dalta Is Aclaí. Beidh orm smaoineamh ar rud éigin níos éasca.

Cheap mé ar dtús gur cheart dom na héadaí is fearr atá agam a chaitheamh ar scoil chun an gradam a fháil don dalta Is Néata.

Ach chiallódh sé sin go mbeinn sa phictiúr le Jenna Stewart, agus gléasann sí sin mar bhean rialta.

Dé Céadaoin
Tháinig smaoineamh chugam agus mé sa leaba aréir: Amadán an Ranga.

Ní hé go bhfuil cáil orm as a bheith greannmhar, ach ní bheidh orm ach cleas amháin maith a imirt díreach roimh an vótáil.

ÍÍÍAAAABH!

BIORÁN

BEALTAINE

<u>Déardaoin</u>

Inniu bhí mé ag machnamh ar conas a bhféadfainn biorán a chur ar chathaoir Mr Worth nuair a chuir sé ag smaoineamh arís mé.

Dúirt Mr Worth linn go mbeidh sé ag an bhfiaclóir amárach agus go mbeidh ionadaí istigh ina áit. Beidh sé seo an-éasca. Is féidir rud ar bith a rá le hionadaí agus ní bhfaighidh tú i dtrioblóid.

201

Dé hAoine

Shiúil mé isteach i mo rang staire inniu agus mé
ullamh chun mo phlean a chur i ngníomh. Ach ní
chreidfeá cén t-ionadaí a bhí ann.

Cé a bhí ann ach mo Mhama. Cheap mé go raibh
sise tar éis éirí as a cuid cúraimí leis an scoil.

Bhíodh sí ag teacht isteach fadó ag tabhairt
cúnaimh sa rang. Ach cuireadh stop leis sin tar
éis di cabhair a thabhairt ar lá an turas scoile
nuair a bhí mé i rang a trí.

202

Bhí go leor taighde déanta aici le go mbainfeadh na daltaí an tairbhe is fearr as na taispeántais, ach ní raibh uainne ach iad a fheiceáil ag déanamh a ngnó.

Ar aon nós, scrios Mama mo phlean chun "Amadán an Ranga" a bhaint amach. Tá mé buíoch nach bhfuil catagóir ann don "Pheata is Mó".

Dé Céadaoin

Tháinig nuachtán na scoile amach arís inniu. D'éirigh mé as mo phost mar chartúnaí nuair a tháinig "Clád an Créatúirín" amach agus ba chuma liom cé a thógfadh m'áit.

Ach bhí gach duine ag gáire faoin ngreannán ag am lóin. Phioc mé suas cóip agus ní raibh mé in ann é a chreidiúint nuair a chonaic mé é.

"Zú-Wí Mama" a bhí ann. Agus, dar ndóigh, níor athraigh Mr Ira oiread is FOCAL AMHÁIN de ghreannán Rowley.

Zú-Wí Mama   **le Rowley Jefferson**

Hé a chailín álainn, ar mhaith leat dul amach liom?

Ní cailín mise, is madra mé le gruaig fhada.

ZÚ-WÍ MAMA!

Anois is ag Rowley atá an cháil ar fad a bhí ag dul domsa.

Tá na múinteoirí iad féin tógtha leis an ngreannán. Is beag nár tháinig lagar orm nuair thit an chailc ó Mr Worth sa rang inniu –

Dé Luain

Tá mé iontach corraithe faoi "Zú-Wí Mama".

Tá Rowley ag fáil an aitheantais ar fad as rud a chruthaigh an bheirt againn. D'fhéadfadh sé ar a laghad m'ainm a chur leis mar chomhchruthaitheoir.

Mar sin, chuaigh mé chuig Rowley tar éis na scoile agus dúirt mé an méid sin leis. Ach dúirt Rowley gur AIGE FÉIN a bhí an smaoineamh do "Zú-Wí Mama" agus nach raibh baint ar bith agamsa leis.

Caithfidh sé go raibh muid an-ghlórach, mar bhailigh slua thart orainn.

Bíonn na daltaí I gCÓNAÍ ag iarraidh troid a fheiceáil. Rinne mé féin agus Rowley iarracht imeacht ach ní raibh siad chun scaoileadh linn go mbeadh cúpla dorn caite.

Ní raibh mise i dtroid cheart riamh cheana agus ní raibh tuairim agam conas seasamh ná conas mo dhorn a dhúnadh i gceart. Agus bhí sé soiléir nach raibh a fhios ag Rowley cad a bhí le déanamh aige ach an oiread mar gur thosaigh sé ag pramsáil thart mar a bheadh leipreachán ann.

Bhí mé sách cinnte go mbeinn in ann Rowley a bhualadh, ach chuir sé imní orm go mbíonn Rowley ag déanamh karate. Níl a fhios agam cad a mhúineann siad sa rang sin, ach níl mé ag iarraidh go leagfaidh sé go talamh mé.

Sular bhog mise ná Rowley chuala muid torann mar a bheadh scréach ann. Bhí carr lán le déagóirí tarraingthe isteach i gclós na scoile.

Bhí mise buíoch go raibh an aird tógtha díom féin agus de Rowley ach theith na daltaí eile nuair a thosaigh na déagóirí ag teacht inár dtreo.

Ansin thug mé faoi deara gur aithin mé iad.

Sin an uair a rith sé liom. Is iad seo na buachaillí céanna a bhí sa tóir orm féin agus ar Rowley Oíche Shamhna agus tá siad tar éis teacht suas linn sa deireadh thiar.

Ach sular éirigh linn teitheadh, bhí muid i
ngreim acu.

Bhí siad ag iarraidh ceacht a mhúineadh dúinn
as a bheith ag magadh fúthu Oíche Shamhna
agus bhí siad ag argóint faoi cad ba cheart a
dhéanamh linn.

Ach le bheith fírinneach leat, bhí níos mó imní
ormsa faoi rud éigin eile. Ní raibh an Cháis ach
cúpla troigh ón áit a raibh muid inár seasamh
agus bhí droch-chuma cheart uirthi.

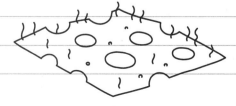

Caithfidh sé go bhfaca an boc is mó go raibh mé ag féachaint i dtreo na Cáise agus chuir sé sin ag smaoineamh é.

Roghnaíodh Rowley i dtosach. Rug an boc mór air agus tharraing sé anonn chuig an gCáis é.

Ní theastaíonn uaim a rá cad a tharla ansin. Ach má sheasann Rowley i dtoghchán na hUachtaránachta riamh agus má fhaigheann daoine amach cad a rinne sé, ní bheidh seans aige.

Déarfaidh mé mar seo é: chuir siad iallach ar Rowley an Cháis a - - - - -.

Bhí a fhios agam go mbeadh ormsa é a dhéanamh ansin agus bhí mé scanraithe mar nach raibh aon bhealach éalaithe agam.

Thosaigh mé ag caint go tapa leo.

Agus creid é nó ná creid, d'oibrigh sé.

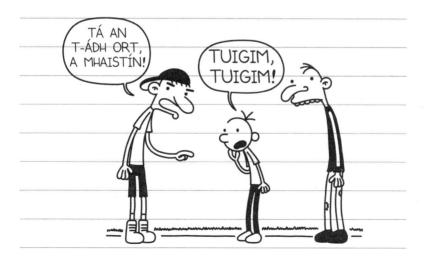

Is dócha go raibh na déagóirí sásta go raibh a bpointe déanta acu mar nuair a bhí an Cháis ar fad críochnaithe ag Rowley, d'imigh siad. Síos an tsráid leo agus timpeall an chúinne iad ag gáire agus ag magadh eatarthu féin.

Shiúil mé féin agus Rowley abhaile in éineacht. Ach níor oscail ceachtar againn ár mbéal i gcaitheamh an aistir.

Smaoinigh mé ar cheist a chur ar Rowley cén fáth nár úsáid sé karate ar na déagóirí ach shocraigh mé gan rud ar bith a rá go fóill.

Dé Máirt

Ar scoil inniu, lig na múinteoirí amach muid tar éis am lóin.

Thóg sé cúpla nóiméad sular tugadh faoi deara go raibh an Cháis imithe.

HÉÉÉÉÉÉÉÉÉÉÉ!

Bhailigh gach duine thart ar an áit ina mbíodh an Cháis. Ní raibh siad in ann a chreidiúint go raibh sí imithe.

Thosaigh daoine ag teacht aníos le teoiricí áiféiseacha faoi cad a tharla. Dúirt duine amháin gur fhás cosa faoin gCáis agus gur theith sí.

Bhí sé an-deacair guaim a choinneáil orm féin
agus mura mbeadh Rowley ina sheasamh díreach
le mo thaobh, níl a fhios agam an mbeinn in ann
fanacht i mo thost.

Na buachaillí céanna a bhí ag iarraidh mé féin
agus Rowley a ghríosú chun troda inné, bhí
siad ag argóint ina measc féin inniu faoi cad a
tharla don Cháis. Mar sin, bhí a fhios agam nach
mbeadh sé i bhfad sula n-oibreoidís amach go
raibh baint éigin againne leis an scéal.

Bhí eagla ar Rowley agus ní chuirfinn aon
mhilleán air. Dá dtiocfadh an fhírinne chun solais
riamh, bheadh Rowley réidh. Bheadh air bogadh
amach as an gceantar, nó b'fhéidir as an tír fiú.

Sin an uair a shocraigh mé labhairt amach.

Dúirt mé le gach duine go raibh a fhios agam cad a tharla don Cháis. Dúirt mé go raibh mé tinn tuirseach ag féachaint air agus gur shocraigh mé fáil réidh leis go deo.

Ar feadh soicind, níor bhog duine ar bith. Cheap mé go raibh siad ar tí buíochas a ghlacadh liom as an rud a bhí déanta agam, ach bhí mé mícheart.

Tá aiféala orm nár inis mé an scéal ar bhealach eile. Má fuair mise réidh leis an gCáis, ciallaíonn sé sin go bhfuil Galar na Cáise orm anois.

<u>Dé hAoine</u>

Má tá Rowley buíoch as an méid a rinne mé dó
an tseachtain seo caite, níl sé ráite aige. Ach,
bíonn muid ag crochadh thart le chéile tar éis na
scoile arís agus ciallaíonn sé sin go bhfuil rudaí
ar ais mar a bhí.

Is féidir liom a rá go fírinneach nach bhfuil
Galar na Cáise ródhona ar chor ar bith.

Ní raibh orm an cleachtadh damhsa a dhéanamh
sa rang Corpoideachais mar nach raibh duine ar
bith ag iarraidh dul gar dom.

Ba é inniu an lá deireanach ar scoil agus tugadh
amach irisí scoile na bliana.

D'fhéach mé ar leathanach "Scoth an Ranga" agus seo a chonaic mé.

AMADÁN AN RANGA

Rowley Jefferson

Níl le rá agam ach má tá iris scoile saor in aisce uait, tá ceann i mo bhosca bruscair.

Is cuma liom sa sioc más é Rowley Amadán an Ranga. Ach má fhaigheann sé rólán dó féin riamh, cuirfidh mise i gcuimhne dó gurbh eisean an buachaill a dhíth an -----.

BUÍOCHAS

Is iomaí duine a chuidigh liom an leabhar seo a thabhairt ar an saol, ach tá buíochas faoi leith ag dul do cheathrar:

Eagarthóir Abrams, Charlie Kochman, a rinne iarracht thar na bearta *Diary of a Wimpy Kid* a chur chun cinn.

Jess Brallier, a thuigeann cumhacht agus féidearthacht na foilsitheoireachta ar líne, agus a chuidigh le Greg Heffley na sluaite a bhaint amach den chéad uair. Buíochas go háirithe as do chairdeas agus do mheantóireacht.

Patrick, a raibh ról lárnach aige agus é ag cuidiú liom an leabhar seo a fheabhsú, agus nach raibh aon fhaitíos air insint dom nuair a bhí drochjóc ann.

Mo bhean chéile, Julie, mar nach mbeadh an leabhar seo ann ar chor ar bith gan a tacaíocht dhochreidte.

AN tÚDAR

Tá Jeff Kinney ar dhuine de na húdair is mó díol ar liosta an New York Times. Tá an Nickelodeon Kids' Choice Award bainte aige cúig uaire sa chatagóir Favorite Book. D'ainmnigh an iris Time é ar dhuine den 100 Duine ar Domhan is Mó Tionchar. Is é Jeff a chruthaigh an suíomh idirlín Poptropica, a d'ainmnigh an iris Time ar cheann den 50 suíomh idirlín is fearr ar domhan. Chaith Jeff a óige i Washington D.C. agus bhog sé go New England i 1995. Tá cónaí air féin a bhean chéile agus a mbeirt mhac i Massachusetts, áit a bhfuil siopa leabhar An Unlikely Story acu.